도전만점
중등 내신
서술형 2

도전만점 중등내신 서술형 2

지은이 넥서스영어교육연구소
펴낸이 임상진
펴낸곳 (주)넥서스

출판신고 1992년 4월 3일 제311-2002-2호 ⑩
10880 경기도 파주시 지목로 5
Tel (02)330-5500 Fax (02)330-5555

ISBN 979-11-6165-004-3 54740
979-11-6165-002-9 (SET)

※집필에 도움을 주신 분
: McKathy Green, Hyunju Lim, Shawn, Nick, Richard Pennington

절대평가 1등급, 내신 1등급을 위한 영문법 기초부터 영작까지

도전 만점 중등 내신 서술형 2

통문장 암기 훈련 워크북 포함

영문법+쓰기

NEXUS Edu

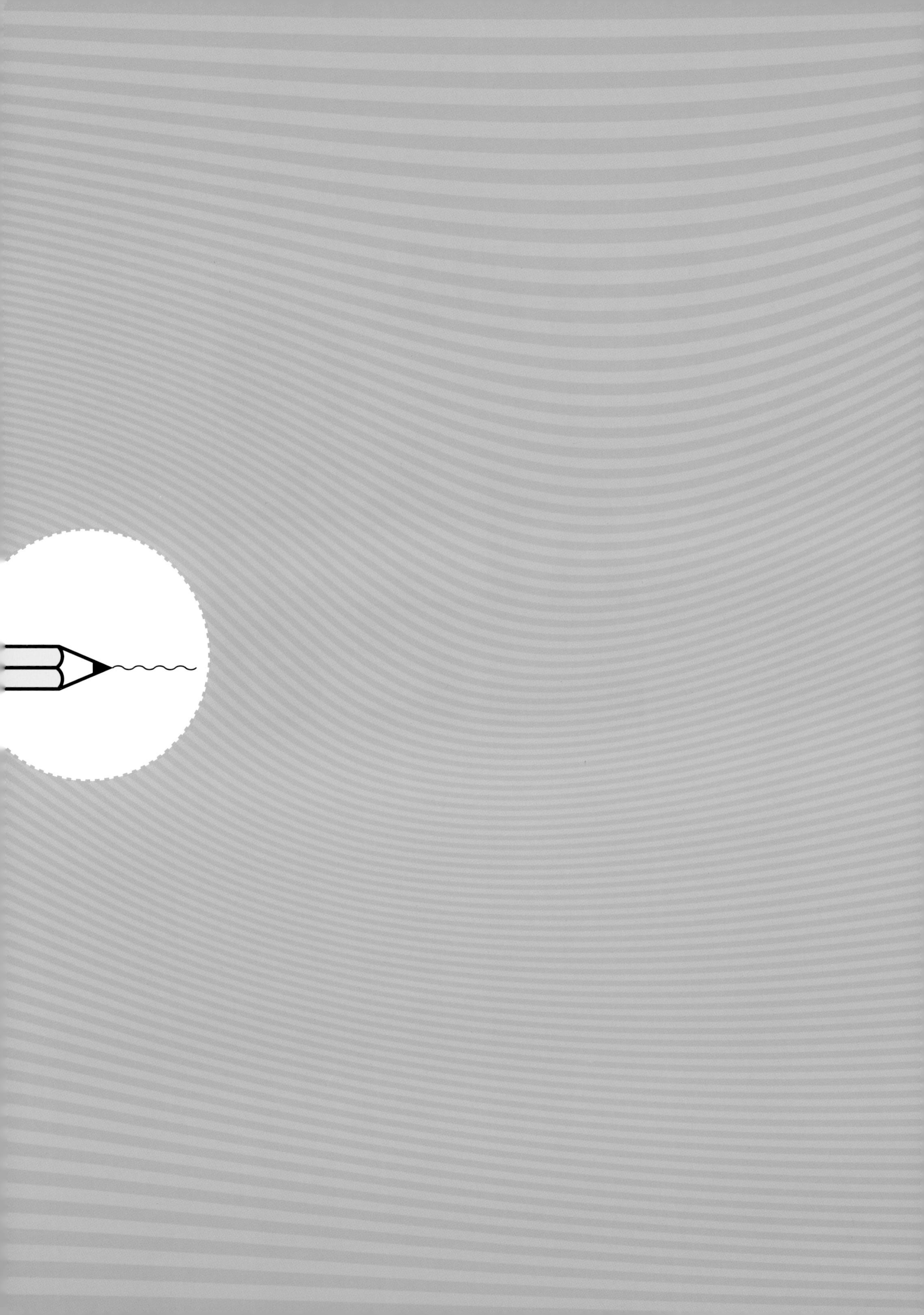

Preface

서술형 문제, 하나를 틀리면 영어 내신 점수에 어떤 영향을 줄까요?

앞으로는 단답형은 물론 서술형 문제 비중이 점차 높아진다고 합니다. 각 지역마다 차이는 있지만 30%~최대 50%까지 서술형 문제가 중간, 기말고사에 등장하고 있습니다. 학생들은 서술형이 너무 어렵다고 하면서도 어떻게 준비해야 할지를 모르는 경우가 많아, 객관식에서 거의 맞았음에도 불구하고 좋은 등급을 얻을 수 있는 고득점을 얻기에는 턱없이 부족한 점수가 나옵니다.

그렇다면, 서술형 문제는 어떻게 해결해야 단기간에 마스터할 수 있을까요?

첫째, 핵심 문법 사항은 그림을 그리듯이 머릿속에 그리고 있어야 합니다.

둘째, 문장을 구성하는 주어, 동사는 물론, 문장의 기본적인 구성 요소를 알고 있어야 합니다.

셋째, 문장 구성 요소를 파악하면서 핵심 문법과 관련된 다양한 예문을 완벽하게 써 보는 훈련이 필요합니다. 입으로 소리 내어 문장을 읽으면서 써 본다면, 듣기와 말하기 실력까지도 덤으로 얻게 됩니다.

마지막으로, 문장을 쓰고 난 후에 어떤 문장 요소를 바꿔 썼는지, 어떠한 문법 내용이 적용되었는지 확인하고 오답 노트를 정리한다면, 쓰기 실력은 여러분도 모르게 쑥쑥 향상되어 있을 것입니다.

"도전만점 중등내신 서술형" 시리즈는 내신에서 서술형 문제 때문에 고득점을 얻지 못하는 학생들을 위해 개발되었습니다. 개정 교과서 14종을 모두 철저히 분석한 후에, 중학교 1학년~3학년 과정의 핵심 영문법을 바탕으로 시험에 꼭 나오는 문제 중심으로 개발되었습니다. 또한 영문법은 물론, 문장 쓰기까지 마스터할 수 있도록 중등 과정을 반복 학습할 수 있도록 전체 목차를 구성하였습니다. 현재 예비 중학생으로서 중등 영어가 고민된다면, 도전만점 서술형 시리즈로 먼저 시작해 보세요! 영어 내신 점수는 물론, 영어 문법 및 쓰기 실력까지 완벽하게 갖출 수 있으리라 기대합니다.

넥서스영어교육연구소

Features

영문법
핵심 포인트를
한눈에!
기본 개념
Check-up!

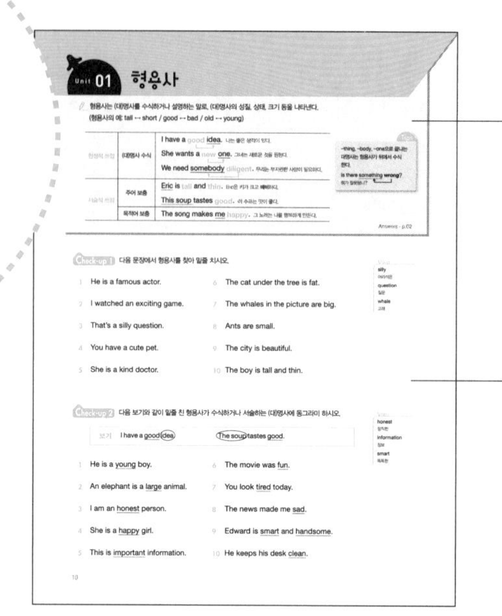

한눈에 핵심 문법 내용이 그림처럼 그려질 수 있도록 도식화하였습니다. 자꾸만 혼동되거나 어려운 문법 포인트는 Tips에 담았습니다.

핵심 문법을 Check-up 문제를 통해 간단히 개념 정리할 수 있습니다. 또한 어휘로 인해 영문법이 방해되지 않도록 어휘를 제시하였습니다. 서술형 대비를 위해서는 어휘는 기본적으로 암기해야 합니다.

Step by Step 중등내신 영문법+쓰기

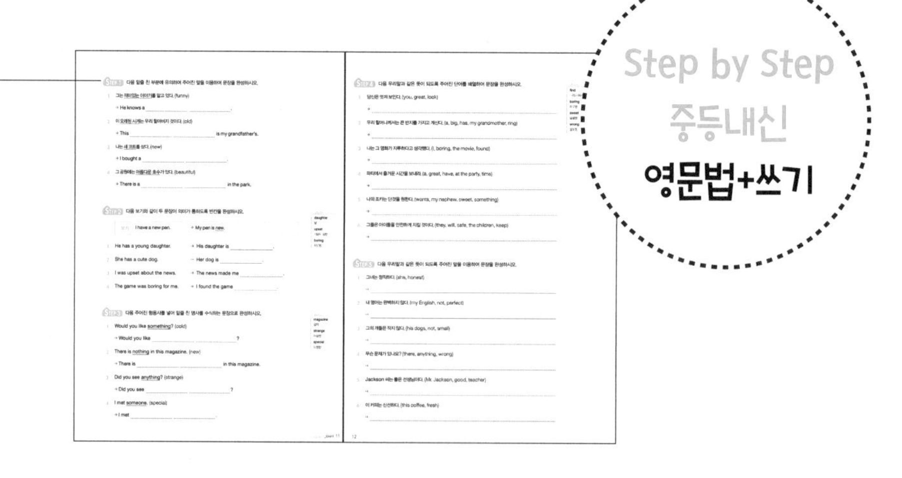

단계별 단답형, 서술형 문제를 통해 완전한 문장을 쓸 수 있는 훈련을 하게 됩니다. 내신 기출문제에서 등장하는 조건에 유의하여 서술형 대비 훈련을 자연스럽게 할 수 있습니다.

도전만점 중등내신 단답형 & 서술형

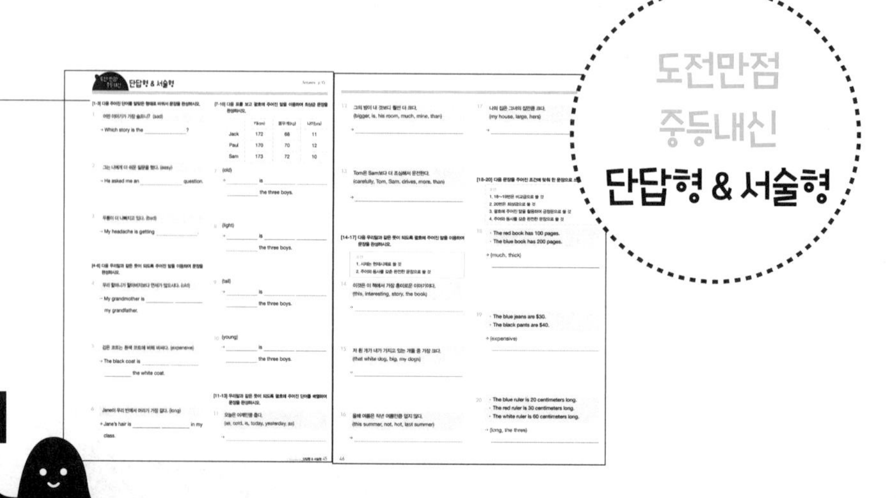

학교 시험에서 자주 등장하는 서술형 문제유형을 통해 앞에서 학습한 내용을 복습하는 과정입니다. 핵심 문법 포인트를 기억하며 시간을 정해 놓고 시험 보듯이 풀어본다면 서술형 시험을 완벽 대비할 수 있습니다.

YES

앞에서 학습한 내용을 통문장으로 영작해 보는 훈련을 하도록 구성하였습니다. 문법 핵심 포인트를 활용하여 문장을 쓰다 보면, 영문법 및 쓰기 실력이 쑥쑥 향상됩니다.

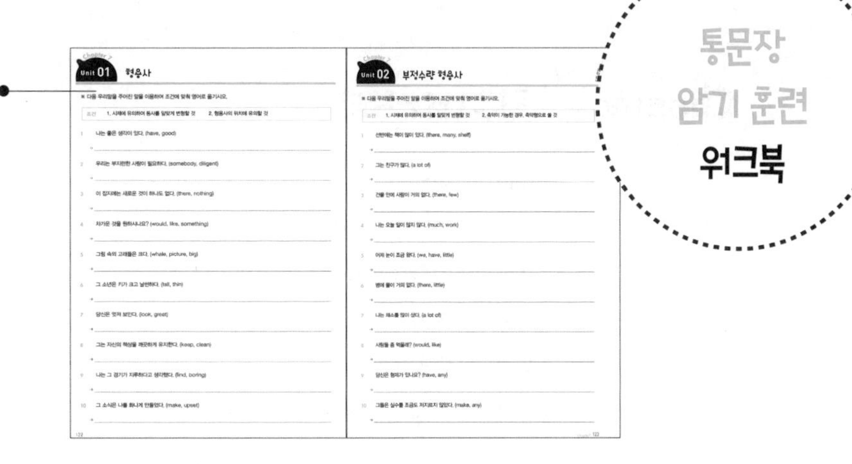

통문장 암기 훈련 **워크북**

Check-up부터 각 Step에 이르기까지 모든 문장의 해석이 들어 있습니다. 해석을 보고 영어로 말하고 쓸 수 있도록 정답지를 활용해 보세요. 간단한 해설을 통해 문법 포인트를 확인할 수 있습니다.

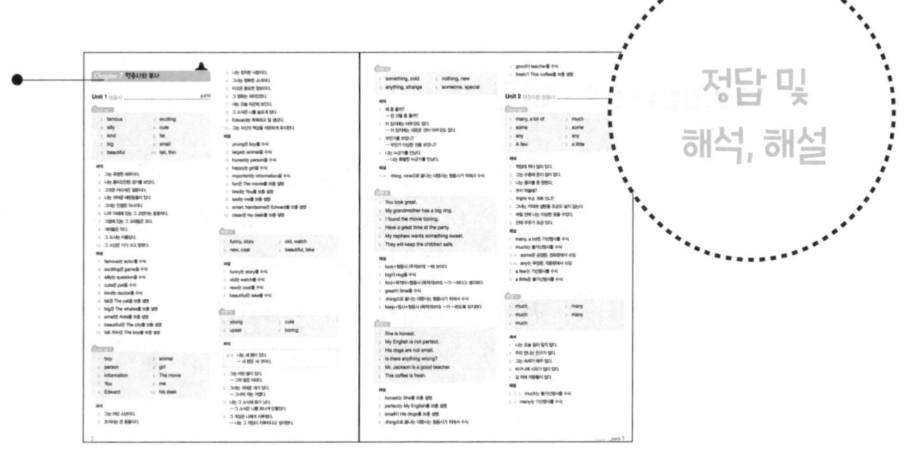

정답 및 해석, 해설

부가 자료 제공 : www.nexusbook.com

테스트 도우미
어휘 리스트 & 어휘 테스트

+

챕터별 리뷰 테스트
객관식, 단답형, 서술형 문제

+

기타 활용 자료
동사변화표 / 문법 용어 정리
비교급 변화표 등

Contents

Chapter 7 형용사와 부사

Chapter 8 비교

Chapter 9 문장의 구조

Chapter 10 to부정사와 동명사

Chapter 11 전치사

Chapter 12 접속사

도전만점 중등내신 서술형 1 2 3 4

도전만점 중등내신 서술형 1

도전만점 중등내신 서술형 2

도전만점 중등내신 서술형 3

도전만점 중등내신 서술형 4

Chapter 7

형용사와 부사

Unit 01 형용사

형용사는 (대)명사를 수식하거나 설명하는 말로, (대)명사의 성질, 상태, 크기 등을 나타낸다.
(형용사의 예: tall ↔ short / good ↔ bad / old ↔ young)

한정적 쓰임	(대)명사 수식	I have a good idea. 나는 좋은 생각이 있다. She wants a new one. 그녀는 새로운 것을 원한다. We need somebody diligent. 우리는 부지런한 사람이 필요하다.
서술적 쓰임	주어 보충	Eric is tall and thin. Eric은 키가 크고 빼빼하다. This soup tastes good. 이 수프는 맛이 좋다.
	목적어 보충	The song makes me happy. 그 노래는 나를 행복하게 만든다.

Tips

–thing, –body, –one으로 끝나는 대명사는 형용사가 뒤에서 수식한다.

Is there something **wrong**?
뭐가 잘못됐니?

Answers - p.02

Check-up 1 다음 문장에서 형용사를 찾아 밑줄 치시오.

1 He is a famous actor.

2 I watched an exciting game.

3 That's a silly question.

4 You have a cute pet.

5 She is a kind doctor.

6 The cat under the tree is fat.

7 The whales in the picture are big.

8 Ants are small.

9 The city is beautiful.

10 The boy is tall and thin.

Voca
silly 어리석은
question 질문
whale 고래

Check-up 2 다음 보기와 같이 밑줄 친 형용사가 수식하거나 서술하는 (대)명사에 동그라미 하시오.

보기	I have a good idea.	The soup tastes good.

1 He is a young boy.

2 An elephant is a large animal.

3 I am an honest person.

4 She is a happy girl.

5 This is important information.

6 The movie was fun.

7 You look tired today.

8 The news made me sad.

9 Edward is smart and handsome.

10 He keeps his desk clean.

Voca
honest 정직한
information 정보
smart 똑똑한

STEP 1 다음 밑줄 친 부분에 유의하여 주어진 말을 이용하여 문장을 완성하시오.

1 그는 재미있는 이야기를 알고 있다. (funny)

→ He knows a ________ ________.

2 이 오래된 시계는 우리 할아버지 것이다. (old)

→ This ________ ________ is my grandfather's.

3 나는 새 코트를 샀다. (new)

→ I bought a ________ ________.

4 그 공원에는 아름다운 호수가 있다. (beautiful)

→ There is a ________ ________ in the park.

STEP 2 다음 보기와 같이 두 문장이 의미가 통하도록 빈칸을 완성하시오.

보기	I have a new pen.	→ My pen is new.

1 He has a young daughter. → His daughter is ________.

2 She has a cute dog. → Her dog is ________.

3 I was upset about the news. → The news made me ________.

4 The game was boring for me. → I found the game ________.

Voca
daughter 딸
upset 기분이 상한
boring 지루한

STEP 3 다음 주어진 형용사를 넣어 밑줄 친 명사를 수식하는 문장으로 완성하시오.

1 Would you like something? (cold)

→ Would you like ________ ________?

2 There is nothing in this magazine. (new)

→ There is ________ ________ in this magazine.

3 Did you see anything? (strange)

→ Did you see ________ ________?

4 I met someone. (special)

→ I met ________ ________.

Voca
magazine 잡지
strange 이상한
special 특별한

STEP 4 다음 우리말과 같은 뜻이 되도록 주어진 단어를 배열하여 문장을 완성하시오.

1 당신은 멋져 보인다. (you, great, look)

→ ______________________________

2 우리 할머니께서는 큰 반지를 가지고 계신다. (a, big, has, my grandmother, ring)

→ ______________________________

3 나는 그 영화가 지루하다고 생각했다. (I, boring, the movie, found)

→ ______________________________

4 파티에서 즐거운 시간을 보내라. (a, great, have, at the party, time)

→ ______________________________

5 나의 조카는 단것을 원한다. (wants, my nephew, sweet, something)

→ ______________________________

6 그들은 아이들을 안전하게 지킬 것이다. (will, safe, they, the children, keep)

→ ______________________________

Voco
find
~라고 여기다[생각하다]
boring
지루한
sweet
달콤한

STEP 5 다음 우리말과 같은 뜻이 되도록 주어진 말을 이용하여 문장을 완성하시오.

1 그녀는 정직하다. (she, honest)

→ ______________________________

2 내 영어는 완벽하지 않다. (my English, not, perfect)

→ ______________________________

3 그의 개들은 작지 않다. (his dogs, not, small)

→ ______________________________

4 무슨 문제가 있나요? (there, anything, wrong)

→ ______________________________

5 Jackson 씨는 좋은 선생님이다. (Mr. Jackson, good, teacher)

→ ______________________________

6 이 커피는 신선하다. (this coffee, fresh)

→ ______________________________

Unit 02 부정수량 형용사

부정수량 형용사는 정해지지 않은 수나 양을 나타낸다.

	많은	약간의, 몇몇의	거의 없는
셀 수 있는 명사 (수)	many	a few	few
셀 수 없는 명사 (양)	much	a little	little
수 또는 양	a lot of[lots of]	some / any	—

· He has a lot of friends. 그는 친구가 많다.
· She doesn't drink much water. 그녀는 물을 많이 마시지 않는다.

Tips

any는 주로 부정문이나 의문문에서 쓰이지만, 긍정문에서 '어떤 ~라도, 어느 ~이든'의 의미로 쓰일 수 있으므로 주의가 필요하다.
Take **any** pencil you want.
네가 원하는 어떤 연필이든 가져.

주의해야 할 부정수량 형용사의 쓰임

	some	any	a few / a little	few / little
쓰임	긍정문, 제안문 부탁하는 의문문	의문문 부정문	긍정의 의미	부정의 의미

· Would you like some coffee? 커피 좀 드실래요?
· Do you have any brothers? 당신은 형제가 있나요?
· We had a little snow yesterday. 어제 눈이 조금 왔다.
· There are few people in the building. 건물 안에 사람이 거의 없다.

Answers - p.03

Check-up 다음 괄호 안에서 알맞은 것을 모두 고르시오.

1 There are (many / a lot of / much) books on the shelf.

2 He doesn't have (many / much / a few) money on him.

3 I want (some / few) cola.

4 Would you like (a little / some) cookies?

5 Do you have (a little / any) plans for the weekend?

6 She doesn't put (some / any) sugar in her coffee.

7 (A few / A little) days ago, I had a strange dream.

8 There is (a few / a little) milk in the glass.

Voca

shelf 선반
on ~을 소지하고
plan 계획
weekend 주말
glass (유리)잔

STEP 1 다음 빈칸에 many나 much 중 알맞은 것을 쓰시오.

1 I don't have __________ work today.

2 My sister has __________ friends.

3 He has so __________ homework.

4 There are __________ apples in the basket.

5 There was so __________ traffic on the roads.

Voca
basket 바구니
traffic 교통(량), 차량들
road 도로

STEP 2 다음 빈칸에 some과 any 중 알맞은 것을 쓰시오.

1 I need __________ water.

2 Do you have __________ questions?

3 Would you like __________ candy?

4 The coach didn't teach __________ classes today.

5 Tom doesn't have __________ brothers or sisters.

Voca
coach 코치
class 수업

STEP 3 다음 밑줄 친 부분에 유의하여 보기에서 알맞은 말을 골라 문장을 완성하시오.

보기	a few	few	a little	little

1 그는 친구가 거의 없다.

→ He has __________ friends.

2 나는 가방에 몇 권의 책이 있다.

→ I have __________ books in my bag.

3 병에 물이 거의 없다.

→ There's __________ water in the bottle.

4 그녀는 자신의 차에 설탕을 조금 넣었다.

→ She added __________ sugar in her tea.

5 놀이터에 몇몇 소년들이 있었다.

→ There were __________ boys on the playground.

STEP 4 다음 우리말과 같은 뜻이 되도록 주어진 단어를 배열하여 문장을 완성하시오.

1 그녀는 당신에 대해 많은 것들을 알고 있다. (many, about you, things, she, knows)

→ ______________________

2 나는 채소를 많이 샀다. (I, vegetables, a lot of, bought)

→ ______________________

3 그는 도서관에서 책 몇 권을 빌렸다. (from the library, he, a few, borrowed, books)

→ ______________________

4 작년에 비가 거의 내리지 않았다. (little, we, rain, had, last year)

→ ______________________

5 그들은 실수를 조금도 저지르지 않았다. (any, didn't make, they, mistakes)

→ ______________________

6 그 뉴스를 들은 사람은 거의 없었다. (people, few, the news, heard)

→ ______________________

Voca
vegetable 채소
borrow 빌리다
make a mistake 실수를 하다

STEP 5 다음 우리말과 같은 뜻이 되도록 주어진 말을 이용하여 문장을 완성하시오.

1 공원에 사람들이 많이 있다. (there, lots of, people, in the park)

→ ______________________

2 박물관에 관한 약간의 정보가 여기에 있다. (here, a little, information, about the museum)

→ ______________________

3 우리 삼촌은 디저트를 조금 드셨다. (have, some, desserts)

→ ______________________

4 그는 커피를 너무 많이 마신다. (drink, too much, coffee)

→ ______________________

5 그녀는 지난밤에 잠을 거의 못 잤다. (have, little, sleep, last night)

→ ______________________

6 나는 그 도시에 대해 아는 것이 거의 없다. (know, few, things, about the city)

→ ______________________

Unit 03 감정형용사

감정형용사는 surprise(놀라게 하다), interest(흥미를 끌다)와 같은 감정동사에 -ing나 -ed를 붙여서 만든다.

감정동사	감정형용사	
	-ing (감정을 일으키는 주체)	-ed (감정을 느끼는 주체)
bore 지루하게 하다	boring 지루하게 만드는	bored 지루함을 느끼는
interest 흥미를 끌다	interesting 흥미를 일으키는	interested 흥미를 느끼는
surprise 놀라게 하다	surprising 놀라움을 일으키는	surprised 놀라움을 느끼는

- The movie was boring. 그 영화는 지루했다.
- The audience felt bored. 관객은 지루해했다.

Answers - p.04

Check-up 1 다음 괄호 안에서 가장 알맞은 것을 고르시오.

1 그 이야기는 매우 재미있다. → The story is very (interesting / interested).

2 그 결과는 놀라웠다. → The result was (surprising / surprised).

3 그의 업무는 지루하다. → His job is really (boring / bored).

4 그 소식은 충격적이었다. → The news was (shocking / shocked).

5 그 영화는 감동적이었다. → The movie was (touching / touched).

Voca
result 결과
job 업무

Check-up 2 다음 괄호 안에서 가장 알맞은 것을 고르시오.

1 그는 음악에 흥미가 있다. → He is (interesting / interested) in music.

2 그들은 결과에 놀랐다. → They were (surprised / surprising) by the result.

3 그는 그 강의에 지루해했다. → He was (bored / boring) with the lecture.

4 나는 그 소식에 충격을 받았다. → I was (shocked / shocking) by the news.

5 그녀는 그 이야기에 감동했다. → She was (touching / touched) by the story.

STEP 1 다음 밑줄 친 부분에 유의하여 주어진 단어를 알맞은 형태로 고쳐서 문장을 완성하시오.

1 그는 그 캠핑에 대해 매우 들떠 있었다. (excite)

→ He was very ________________ about the camping.

2 비 오는 날씨는 우울하게 만든다. (depress)

→ Rainy weather is ________________.

3 겁내지 마. (frighten)

→ Don't be ________________.

4 이 마을에는 흥미로운 역사가 있다. (interest)

→ This village has an ________________ history.

STEP 2 다음 주어진 단어를 -ed 또는 -ing 형태로 고쳐서 문장을 완성하시오.

1 (surprise) a. The news was ________________.

b. We were ________________ at the news.

2 (please) a. It was a very ________________ moment for us.

b. The fans were ________________ with the team's effort.

3 (satisfy) a. We were ________________ with the service.

b. She had a ________________ meal.

4 (disappoint) a. Dinner was ________________.

b. I am very ________________ in you.

5 (move) a. The film was ________________.

b. They were ________________ by the story.

6 (bore) a. The speech was ________________.

b. He was ________________ with the speech.

7 (amaze) a. The house was ________________.

b. They were ________________ at the size.

Voca
moment 순간
effort 노력
film 영화
speech 연설

STEP 3 다음 우리말과 같은 뜻이 되도록 주어진 단어를 배열하여 문장을 완성하시오.

1 그녀는 자신의 성적에 기뻐했다. (was, she, with her grades, pleased)

→ ______________________________

2 나는 훈련에 지쳤다. (exhausted, was, by the training, I)

→ ______________________________

3 그의 건강이 걱정스럽다. (is, his health, worrying)

→ ______________________________

4 그들의 서비스는 실망스러웠다. (disappointing, was, their service)

→ ______________________________

5 나는 내 실수 때문에 창피했다. (by my mistake, I, embarrassed, was)

→ ______________________________

6 그 소식은 그들을 의기소침하게 만들었다. (them, made, the news, depressed)

→ ______________________________

Voca
pleased 기쁜
exhausted 지친
disappointing 실망스러운
embarrassed 당황스러운
depressed 우울한, 의기소침한

STEP 4 다음 우리말과 같은 뜻이 되도록 주어진 말을 이용하여 문장을 완성하시오.

1 그 일은 지치게 한다. (the work, exhaust)

→ ______________________________

2 그 빵 냄새는 좋다. (the smell of the bread, please)

→ ______________________________

3 그 질문은 당혹스럽게 한다. (the question, embarrass)

→ ______________________________

4 그의 가면은 무시무시하다. (his mask, frighten)

→ ______________________________

5 나는 내 남동생이 걱정된다. (worry, about my brother)

→ ______________________________

6 당신은 패션에 관심이 있나요? (interest, in fashion)

→ ______________________________

Voca
exhaust 기진맥진하게 하다
please 기쁘게 하다
embarrass 당황하게 하다
frighten 몹시 두려워하게 하다

Unit 04 부사

부사는 문장에서 동사, 형용사, 다른 부사, 또는 문장 전체를 수식한다.

동사 수식	He can run fast. 그는 빠르게 뛸 수 있다.
형용사 수식	I am very busy now. 나는 지금 매우 바쁘다.
부사 수식	He can run very fast. 그는 매우 빨리 달릴 수 있다.
문장 전체 수식	Luckily, I didn't miss the train. 운 좋게, 나는 기차를 안 놓쳤다.

Tips

형용사 자리에 부사를 넣지 않도록 주의하자.

She looks beautiful. 그녀는 아름답게 보인다.

(X) She looks ~~beautifully~~.

Tips

「명사 + ly」 형태의 형용사를 부사로 혼동하지 않도록 주의하자.

friend + ly → friendly 친근한

love + ly → lovely 사랑스러운

cost + ly → costly 값 비싼

「형용사 + ly」 형태의 부사

대부분의 형용사	형용사 + -ly	quiet → quietly	rapid → rapidly ...
-y로 끝나는 형용사	y → i + -ly	easy → easily	heavy → heavily ...
-e로 끝나는 형용사	e를 빼고 + -ly	simple → simply	wise → wisely ...

· It's raining heavily. 비가 몹시 심하게 내리고 있다.

Answers - p.05

Check-up 1 다음 밑줄 친 말을 수식하는 부사에 동그라미 하시오.

1 She gets up early.

2 The movie ended happily.

3 He is very handsome.

4 The bus arrived too late.

5 Suddenly, someone shouted.

Voca
get up 일어나다
arrive 도착하다
shout 외치다

Check-up 2 다음 형용사에 -ly를 붙여서 부사로 바꾸시오.

1 regular → ____________

2 careful → ____________

3 lucky → ____________

4 comfortable → ____________

5 gentle → ____________

Voca
regular 규칙적인
careful 조심스러운
comfortable 쾌적한
gentle 온화한

STEP 1 다음 밑줄 친 부분에 유의하여 주어진 말을 넣어 문장을 완성하시오.

1 시험은 정말 쉬웠다. (easy, really)

→ The exam was ______________ ______________.

3 방은 꽤 크다. (big, pretty)

→ The room is ______________ ______________.

2 그는 영어를 매우 유창하게 말한다. (very, fluently)

→ He speaks English ______________ ______________.

4 그들은 너무 열심히 일한다. (hard, too)

→ They work ______________ ______________.

Voca
fluently 유창하게

STEP 2 다음 괄호 안에 주어진 단어를 각각 알맞은 곳에 써 넣으시오.

1 (kind, kindly)
a. He is ______________.
b. She spoke ______________.

2 (serious, seriously)
a. They look ______________.
b. He answered ______________.

3 (good, well)
a. He sings really ______________.
b. He is a ______________ singer.

4 (easy, easily)
a. She won the game ______________.
b. The problem was ______________.

Voca
speak 말하다
answer 말하다
serious 심각한
problem 문제

STEP 3 다음 우리말과 같은 뜻이 되도록 주어진 말을 이용하여 문장을 완성하시오.

1 우리 부모님은 규칙적으로 운동하신다. (my parents, exercise, regular)

→ ____

2 그녀는 수학을 정말 잘한다. (she, real, good at math)

→ ____

3 그들은 함께 행복하게 살고 있다. (live, happy, together)

→ ____

4 우리 오빠는 매우 조용하다. (my brother, very, quiet)

→ ____

Unit 05 빈도부사

빈도부사는 어떤 일이 얼마나 자주 일어나는지를 나타내는 부사이다.

빈도부사	예문	위치
always 항상	I always go to school by subway. 나는 항상 지하철로 통학한다.	일반동사 앞
usually 대개	He usually wears blue jeans. 그는 보통 청바지를 입는다.	
often 종종	She is often absent from school. 그녀는 자주 학교에 결석한다.	be동사 뒤
sometimes 가끔	We should sometimes help other people. 우리는 때때로 다른 사람들을 도와야 한다.	조동사 뒤
never 절대 ~ 않는	I will never forget you. 나는 당신을 절대로 잊지 않을 것이다.	

Answers - p.06

Check-up 1 다음 괄호 안에서 가장 알맞은 것을 고르시오.

1 My mother (listens often / often listens) to the radio.

2 They (sometimes go / go sometimes) hiking.

3 He (is always / always is) late for meetings.

4 My brothers (usually are / are usually) at home after school.

5 I (will never go / will go never) there again.

Voca
go hiking 하이킹[도보여행]하러 가다
be late for ~에 지각하다
meeting 회의

Check-up 2 다음 괄호 안에 주어진 빈도부사가 들어갈 위치를 고르시오.

1 I ① go ② to the movies ③ with my friends. (often)

2 He ① takes ② a walk ③ after lunch. (usually)

3 Mrs. Peterson ① is ② nice ③ to my parents. (always)

4 My father ① is ② home ③ for dinner. (never)

5 We ① can ② eat ③ out. (sometimes)

Voca
go to the movies 영화 보러 가다
take a walk 산책하다
eat out 외식하다

STEP 1 다음 주어진 빈도부사를 넣어 문장을 완성하시오.

Voca
keep a diary 일기를 쓰다
complete 완료하다
project 프로젝트, 계획된 일

1 He walks to school. (always)

→ He ________ ________ to school.

2 My sister eats fish. (never)

→ My sister ________ ________ fish.

3 They are careful. (usually)

→ They ________ ________ careful.

4 Lucy is busy. (sometimes)

→ Lucy ________ ________ busy.

5 I will keep a diary. (often)

→ I ________ ________ ________ a diary

6 You can complete this project. (never)

→ You ________ ________ ________ this project.

STEP 2 다음 괄호 안의 빈도부사를 넣어 문장을 다시 쓰시오.

Voca
helpful 도움이 되는
play badminton 배드민턴을 하다
until ~까지

1 He wears neckties. (never)

→ ________________________________

2 She is helpful. (always)

→ ________________________________

3 We can play badminton. (often)

→ ________________________________

4 Jenny calls her grandmother. (sometimes)

→ ________________________________

5 The store is open until 10. (usually)

→ ________________________________

6 Brad gets up late in the morning. (often)

→ ________________________________

STEP 3 다음 우리말과 같은 뜻이 되도록 주어진 단어를 배열하여 문장을 완성하시오.

Voca
have a picnic
야외 식사를 하다

1 Kevin은 항상 시간 약속을 지킨다. (is, Kevin, on time, always)

→ ______________________________

2 그녀는 가끔 햄버거를 먹는다. (a hamburger, she, has, sometimes)

→ ______________________________

3 그들은 자주 야외 식사를 한다. (have, often, they, a picnic)

→ ______________________________

4 Tom은 보통 모자를 쓴다. (wears, usually, Tom, a cap)

→ ______________________________

5 나는 그의 이름을 전혀 기억할 수 없다. (remember, I, never, can, his name)

→ ______________________________

6 우리 삼촌은 대개 바쁘시다. (usually, is, my uncle, busy)

→ ______________________________

STEP 4 다음 우리말과 같은 뜻이 되도록 주어진 말을 이용하여 문장을 완성하시오.

Voca
finish work
근무를 마치다
forget
잊다
kindness
친절함

1 나는 늘 검은 재킷을 입는다. (always, wear, a black jacket)

→ ______________________________

2 우리는 보통 5시에 업무를 마친다. (usually, finish, work, at 5)

→ ______________________________

3 그들은 자주 영화를 보러 갈 수 있다. (often, can, go to the movies)

→ ______________________________

4 그는 방과 후에 가끔씩 테니스를 친다. (sometimes, play, tennis, after school)

→ ______________________________

5 우리 아버지는 고기를 전혀 드시지 않는다. (never, eat, meat)

→ ______________________________

6 저는 당신의 친절을 절대 잊지 않을 것입니다. (never, will, forget, your kindness)

→ ______________________________

Unit 06 주의해야 할 형용사와 부사

형용사와 부사가 같은 형태인 경우

fast	형 빠른	He is a fast runner. 그는 빠른 주자이다.
	부 빨리	He runs fast. 그는 빨리 달린다.
early	형 이른	I took an early train. 나는 이른 기차를 탔다.
	부 일찍	She gets up early. 그녀는 일찍 일어난다.
late	형 늦은	I was late for school. 나는 지각을 했다.
	부 늦게	I came home late. 나는 집에 늦게 왔다.
high	형 높은	The building is very high. 그 건물은 매우 높다.
	부 높이	A bird is flying high. 새가 높이 날고 있다.

Tips
의미가 다양해서 혼동하기 쉬운 형용사와 부사
well 형 건강한 부 잘
pretty 형 예쁜 부 꽤, 제법
hard 형 딱딱한, 어려운, 열심히 하는 부 열심히

too vs. either: 또한, 역시

too	긍정문	Lucy is a teacher. Jake is (a teacher), too. Lucy는 선생님이다. Jake 또한 선생님이다.
either	부정문	He doesn't smoke. His father doesn't (smoke), either. 그는 담배를 피우지 않는다. 그의 아버지 역시 담배를 피우시지 않는다.

Answers - p.07

Check-up 1 다음 빈칸에 우리말과 일치하는 형용사나 부사를 쓰시오. (중복 사용 가능)

1 a. 빠른 → ____________
  b. 빨리 → ____________
2 a. 이른 → ____________
  b. 일찍 → ____________
3 a. 늦은 → ____________
  b. 늦게 → ____________
4 a. 높은 → ____________
  b. 높이 → ____________
5 a. 예쁜 → ____________
  b. 꽤, 제법 → ____________
6 a. 어려운 → ____________
  b. 열심히 → ____________

Check-up 2 다음 괄호 안에서 알맞은 것을 고르시오.

1 I like music. My brother likes music, (too, either).
2 She doesn't like milk, and her sister doesn't, (too, either).
3 He is thirsty. I am thirsty, (too, either).
4 Bob doesn't have a dog. Mark doesn't have a dog, (too, either).

STEP 1 다음 빈칸에 알맞은 형용사나 부사를 넣어 우리말에 맞게 문장을 완성하시오. (중복 사용 가능)

1 기차는 늦었다.

→ The train was ________.

2 우리는 서울에 늦게 도착했다.

→ We arrived in Seoul ________.

3 그 탑은 매우 높다.

→ The tower is very ________.

4 비행기가 높이 날고 있다.

→ A plane is flying ________.

5 나는 열심히 일한다.

→ I work ________.

6 마지막 문제는 어려웠다.

→ The last question was ________.

7 나는 예쁜 드레스가 있다.

→ I have a ________ dress.

8 밖은 꽤 춥다.

→ It's ________ cold outside.

Voca
arrive 도착하다
tower 탑
last 마지막의, 지난
question 질문

STEP 2 다음 빈칸에 too, either 중 알맞은 것을 쓰시오.

1 I like math, and John likes it, ____________.

2 Tim isn't at home, and his brother isn't, ____________.

3 I joined the club. Mike joined the club, ____________.

4 She can't swim and her sister can't, ____________.

Voca
math 수학
join 가입하다
club 동아리

STEP 3 다음 보기에서 알맞은 단어를 골라 문장을 완성하시오.

보기	pretty	high	late	hard

1 Basketball players can jump ____________.

2 James studied ____________ for the test.

3 My math teacher is ____________ nice.

4 Those workers don't usually work ____________.

STEP 4 다음 우리말과 같은 뜻이 되도록 주어진 단어를 배열하여 문장을 완성하시오.

1 그 소년은 나무에 높이 올라갔다. (high, climbed, the boy, on the tree)

→ ______________________________

2 그들은 늦게 도착했다. (arrived, they, late)

→ ______________________________

3 그 기계는 매우 잘 작동한다. (works, the machine, well, very)

→ ______________________________

4 그는 꽤 잘 생겼다. (pretty, he, is, handsome)

→ ______________________________

5 그것은 어려운 일이다. (it, a hard, is, job)

→ ______________________________

6 Dave는 기술자이고, 그의 남동생 역시 그렇다. (his brother is, Dave is, and, an engineer, too)

→ ______________________________

STEP 5 다음 우리말과 같은 뜻이 되도록 주어진 말을 이용하여 문장을 완성하시오.

1 우리 할머니께서는 건강하시다. (well)

→ ______________________________

2 그 영화는 꽤 괜찮다. (the movie, pretty, good)

→ ______________________________

3 그녀는 매우 열심히 일한다. (work, very, hard)

→ ______________________________

4 그 울타리는 너무 높다. (the fence, too, high)

→ ______________________________

5 나는 다시는 늦지 않을 것이다. (won't, late, again)

→ ______________________________

6 나는 그 노래가 싫고, 그녀도 마찬가지다. (not, like, the song, and, either)

→ ______________________________

단답형 & 서술형

Answers - p.09

[1-2] 다음 우리말을 참고하여 짝지어진 문장의 빈칸에 공통으로 들어갈 단어를 쓰시오.

1
- 그들은 열심히 공부한다.
  They study ________________.
- 그 치즈는 매우 딱딱하다.
  The cheese is very ________________.

→ ________________

2
- 그는 몸이 별로 좋지 않다.
  He doesn't feel ________________.
- 그녀는 노래를 매우 잘 한다.
  She sings very ________________.

→ ________________

[3-4] 다음 문장에서 어법에 맞지 않는 부분을 고쳐 쓰시오.

3 I see red something over there.

________________ → ________________

4 Peter can't play the piano, and I can't, too.

________________ → ________________

[5-7] 다음 괄호에 주어진 말을 어법에 맞게 고쳐 문장을 완성하시오.

5 The story was ________________. (excite)

6 We were ________________ at the news. (disappoint)

7 The teacher explained the word ________________. (kind)

[8-10] 다음 각 보기에서 알맞은 말을 골라 문장을 완성하시오.

8
보기	much	many

(1) ________________ people visit the museum.

(2) We don't have ________________ time.

9
보기	some	any

(1) I had ________________ orange juice.

(2) Do you have ________________ questions?

10
보기	a few	a little

(1) He visited ________________ countries last year.

(2) There is ________________ soup in the bowl.

[11-14] 다음 우리말과 같은 뜻이 되도록 괄호에 주어진 단어를 배열하여 문장을 완성하시오.

11 그의 가방은 꽤 무겁다. (is, pretty, his bag, heavy)

→ ______________________

12 그녀는 매우 아름답게 노래한다.
(beautifully, she, very, sings)

→ ______________________

13 그는 언제나 나에게 친절하다.
(always, he, kind, is, to me)

→ ______________________

14 그들은 절대로 그곳을 떠나지 않을 것이다.
(will, they, leave, never, the place)

→ ______________________

[15-18] 다음 우리말과 같은 뜻이 되도록 괄호에 주어진 말을 이용하여 문장을 완성하시오.

조건	1. 현재 시제로 쓸 것 2. 주어와 동사를 갖춘 완전한 문장으로 쓸 것

15 그 숲은 매우 울창하다.
(the forest, very, thick)

→ ______________________

16 나는 이 동네에 친구가 거의 없다.
(have, friends, in this neighborhood)

→ ______________________

17 내 지갑에 돈이 거의 없다.
(there, money, in my wallet)

→ ______________________

18 나는 그것에 관한 정보가 조금 필요하다.
(information, about it)

→ ______________________

[19-20] 다음 대화를 읽고 물음에 답하시오.

A Can I help you?
B Yes. My brother's birthday is next week and I'm looking for ① a nice gift for him. Do you have ② something useful for jogging?
A How about these running shoes? These are really ③ comfortable.
B They look ④ greatly. But do you have ⑤ blue ones? ⓐ 그는 늘 파란 신발을 신어요. (blue, always, he, wears, shoes)
A Of course, we do. What size is he?
B 275 or 280.

19 ①~⑤ 중 어법상 옳지 않은 것을 찾아 바르게 고치시오.

→ ______________________

20 밑줄 친 ⓐ를 괄호에 주어진 단어를 배열하여 문장을 완성하시오.

→ ______________________

Chapter
8
비교

Unit 01 비교급과 최상급의 형태 - 규칙 변화

형용사와 부사의 비교급은 일반적으로 원급에 -(e)r, 최상급은 원급에 -(e)st를 붙여 만든다.

대부분의 경우	-er / -est	tall - taller - tallest 키 큰 / 키가 더 큰 / 가장 키가 큰
-e로 끝나는 경우	-r / -st	nice - nicer - nicest 좋은 / 더 좋은 / 가장 좋은
「단모음+단자음」으로 끝나는 경우	자음을 한 번 더 쓰고 -er / -est	fat - fatter - fattest 뚱뚱한 / 더 뚱뚱한 / 가장 뚱뚱한
「자음+-y」로 끝나는 경우	y를 i로 바꾸고 -er / -est	easy - easier - easiest 쉬운 / 더 쉬운 / 가장 쉬운

more, most를 쓰는 경우

-ful, -ing, -ed, -ous 등으로 끝나는 2~3음절 이상의 단어	more most	difficult - more difficult - most difficult 어려운 / 더 어려운 / 가장 어려운
「형용사+-ly」의 부사		easily - more easily - most easily 쉽게 / 더 쉽게 / 가장 쉽게

· My older brother got married last week. 우리 오빠는 지난주에 결혼했다.
· You must exercise more often. 당신은 더 자주 운동해야 한다.

Answers - p.10

Check-up 다음 주어진 단어의 알맞은 비교급과 최상급을 쓰시오.

1 bright - ______ - ______
2 large - ______ - ______
3 brave - ______ - ______
4 thin - ______ - ______
5 sad - ______ - ______
6 lovely - ______ - ______
7 tasty - ______ - ______
8 serious - ______ - ______
9 amazing - ______ - ______
10 useful - ______ - ______

Voca
bright 밝은
brave 용감한
lovely 사랑스러운
tasty 맛있는
serious 심각한
useful 유용한

STEP 1 다음 보기와 같이 우리말과 같은 뜻이 되도록 빈칸을 완성하시오.

보기		
	a. 밝은 색	→ a bright color
	b. 더 밝은 색	→ a brighter color
	c. 가장 밝은 색	→ the brightest color

1 a. 날카로운 칼 → a sharp knife

b. 더 날카로운 칼 → a ______________ knife

c. 가장 날카로운 칼 → the ______________ knife

2 a. 쉬운 문제 → an easy question

b. 더 쉬운 문제 → an ______________ question

c. 가장 쉬운 문제 → the ______________ question

3 a. 얇은 책 → a thin book

b. 더 얇은 책 → a ______________ book

c. 가장 얇은 책 → the ______________ book

4 a. 유명한 책 → a famous book

b. 더 유명한 책 → a ______________ book

c. 가장 유명한 책 → the ______________ book

STEP 2 다음 밑줄 친 부분에 유의하여 괄호에 주어진 말을 이용하여 문장을 완성하시오.

1 Tom은 제일 어리다. (young) → Tom is the ______________.

2 저 가방이 가장 가볍다. (light) → That bag is the ______________.

3 나의 제일 큰 언니는 대학생이다. (old) → My ______________ sister is a college student.

4 이 자동차가 더 안전하다. (safe) → This car is ______________.

5 그는 살이 더 빠졌다. (thin) → He got ______________.

6 나는 더 큰 방이 필요하다. (big) → I need a ______________ room.

7 그 신발은 더 더러워졌다. (dirty) → The shoes got ______________.

8 어떤 질문이 가장 어렵니? (difficult) → Which question is the ______________?

STEP 3 다음 우리말과 같은 뜻이 되도록 주어진 단어를 배열하여 문장을 완성하시오.

Voca
balloon 풍선
fog 안개

1 이것이 가장 좋은 색이다. (the nicest, is, this, color)

→ ______________________

2 나는 더 큰 가방이 필요하다. (backpack, need, I, a larger)

→ ______________________

3 이 드레스가 더 예쁘다. (prettier, is, this, dress)

→ ______________________

4 풍선이 점점 커지고 있다. (is, getting, the balloon, bigger)

→ ______________________

5 당신은 안개 속에서 더 천천히 운전해야 한다. (more slowly, you, drive, should, in fog)

→ ______________________

6 이 세상에서 가장 나이가 많은 사람은 누구입니까? (the oldest person, is, who, in the world)

→ ______________________

STEP 4 다음 우리말과 같은 뜻이 되도록 주어진 말을 이용하여 문장을 완성하시오.

Voca
cheap 값이 싼
moment 순간

1 이 방이 더 따뜻하다. (this room, warm)

→ ______________________

2 좀 더 천천히 말해 주세요. (please, speak, slowly)

→ ______________________

3 7은 최고의 행운의 숫자이다. (seven, lucky, number)

→ ______________________

4 어떤 것이 가장 저렴하니? (which one, cheap)

→ ______________________

5 이 웹 사이트에는 더 유용한 정보가 있다. (this website, have, useful, information)

→ ______________________

6 이것은 내 인생에서 가장 특별한 순간이다. (this, special, moment, of my life)

→ ______________________

Unit 02 비교급과 최상급의 형태 - 불규칙 변화형

비교급과 최상급의 형태가 불규칙한 단어

원급	비교급	최상급
good 좋은	better 더 좋은, 더 건강한	best 가장 좋은, 가장 건강한
well 건강한		
bad 나쁜	worse 더 나쁜, 더 심한	worst 가장 나쁜, 가장 아픈
ill 아픈		
many (수가) 많은	more 더욱 많은	most 가장 많은
much (양이) 많은		
little (양이) 적은	less 더 적은	least 가장 적은

· My room has more space. 내 방은 공간이 더 많다.
· I made the least mistakes. 나는 가장 적은 실수를 했다.

Answers - p.11

Check-up 1 다음 괄호 안에서 가장 알맞은 것을 고르시오.

1 그는 친구들 보다 더 많은 책을 가지고 있다.
→ He has (many / more / most) books than his friends do.

2 그것은 올해 최악의 영화이다.
→ It is the (bad / worse / worst) movie of the year.

3 Kate는 그 다음 날에 몸이 더 나아졌다.
→ Kate felt (well / better / best) the next day.

Check-up 2 다음 형용사와 부사의 비교급과 최상급을 쓰시오.

1 well – ______________ – ______________
2 many – ______________ – ______________
3 little – ______________ – ______________
4 good – ______________ – ______________
5 bad – ______________ – ______________
6 ill – ______________ – ______________
7 much – ______________ – ______________

STEP 1 다음 우리말과 같은 뜻이 되도록 주어진 말을 변형하여 빈칸을 완성하시오.

1 (good)
a. 좋은 집 → a ________________ house
b. 더 좋은 집 → a ________________ house
c. 가장 좋은 집 → the ________________ house

2 (bad)
a. 안 좋은 상황 → a ________________ situation
b. 더 안 좋은 상황 → a ________________ situation
c. 가장 안 좋은 상황 → the ________________ situation

3 (many)
a. 많은 사람들 → ________________ people
b. 더 많은 사람들 → ________________ people
c. 가장 많은 사람들 → the ________________ people

STEP 2 다음 우리말의 밑줄 친 부분에 유의하여 주어진 말을 이용하여 문장을 완성하시오.

1 그는 가장 좋은 성적을 받았다. (good)
→ He got the ________________ grades.

2 나는 오늘 몸이 더 안 좋다. (ill)
→ I feel ________________ today.

3 우리 팀이 가장 많은 점수를 땄다. (many)
→ Our team got the ________________ points.

4 그들은 최악의 방안을 갖고 있었다. (bad)
→ They had the ________________ idea.

5 그녀는 건강이 훨씬 더 나아졌다. (well)
→ She got much ________________.

6 당신은 덜 먹고 더 운동해야 한다. (little, much)
→ You have to eat ________________ and exercise ________________.

Voca
grade 성적
point 점수
idea 방안, 생각

STEP 3 다음 우리말과 같은 뜻이 되도록 괄호에 주어진 단어를 배열하여 문장을 완성하시오.

1 그의 학업 성적은 더 나빠졌다. (got, his schoolwork, worse)

→ ______________________________

2 날씨가 점점 나아지고 있다. (is, getting, the weather, better)

→ ______________________________

3 그녀는 요즘 덜 먹는다. (is, eating, she, these days, less)

→ ______________________________

4 그날은 내 인생에서 최악의 날이었다. (the worst day, was, that, of my life)

→ ______________________________

5 그는 자녀들과 좀 더 많은 시간을 보내고 있다. (more time, is, spending, he, with his children)

→ ______________________________

6 누가 가장 많이 먹었니? (the most, ate, who)

→ ______________________________

Voca
schoolwork 학업 (성적)
these days 요즘
spend (시간을) 보내다, (돈을) 쓰다

STEP 4 다음 우리말과 같은 뜻이 되도록 괄호에 주어진 말을 이용하여 문장을 완성하시오.

1 이것이 그 앨범에서 가장 좋은 곡이다. (this, good, song, on the album)

→ ______________________________

2 그녀는 오늘 건강이 더 나아졌다. (a little, well, today)

→ ______________________________

3 그가 도시에서 가장 비싼 건물을 소유하고 있다. (own, expensive, building, in the city)

→ ______________________________

4 나에게 좀 더 말해 봐. (please, tell, much)

→ ______________________________

5 나는 식품에 가장 적은 돈을 소비한다. (spend, little, on food)

→ ______________________________

6 그의 독감은 더 나빠졌다. (flu, get, bad)

→ ______________________________

Voca
own 소유하다
flu 독감

Unit 03 원급을 이용한 비교 표현

「as + 원급 + as」: ~만큼 …한/하게

· He is as heavy as me[I am]. 그는 나만큼 체중이 나간다.

· I can jump as high as him[he can]. 나는 그만큼 높이 뛸 수 있다.

「not as[so] + 원급 + as」: ~만큼 …하지 않은/하지 않게

· Kevin is not as[so] tall as Fred.
Kevin은 Fred만큼 키가 크지 않다. (Kevin은 Fred보다 키가 작다.)

· I don't eat fast food as often as she does.
나는 그녀만큼 자주 패스트푸드를 먹지 않는다.

Tips

비교 대상은 대등한 것끼리 되어야 한다.

My sister's hair is as long as yours.
(yours = your hair)
내 여동생의 머리 길이는 네 머리 길이만큼 길다.

Answers - p.12

Check-up 1 다음 괄호 안에서 가장 알맞은 것을 고르시오.

1 I am as (tall / taller) as my sister.

2 His cellphone is as (new / newer) as mine.

3 Kelly can run as (fast / faster) as I can.

4 Their house is as (more beautiful / beautiful) as Kate's.

5 My shoes are as (expensive / more expensive) as hers.

Voca

cellphone 휴대전화
expensive 비싼

Check-up 2 다음 우리말과 같은 뜻이 되도록 빈칸에 알맞은 단어를 쓰시오.

1 어제는 오늘만큼 추웠다.

→ Yesterday was as ________ as today.

2 그녀의 자전거는 네 것만큼 낡지 않았다.

→ Her bicycle is not as ________ as yours.

3 그 영화는 책만큼 지루하지 않다.

→ The film is not so ________ as the book.

STEP 1 다음 괄호에 주어진 말을 이용하여 문장을 완성하시오.

1 나는 Tom만큼 몸무게가 나간다. (heavy)

→ I am ______ ______ ______ Tom.

2 그의 목소리는 내 목소리만큼 크다. (loud)

→ His voice is ______ ______ ______ mine.

3 Sarah는 나만큼 키가 크다. (tall)

→ Sarah is ______ ______ ______ me.

4 Tommy는 Lucy만큼 열심히 공부한다. (hard)

→ Tommy studies ______ ______ ______ Lucy.

STEP 2 다음 주어진 말을 이용하여 문장을 완성하시오.

1 Tim은 Sam만큼 건강하지 않다. (not, healthy)

→ Tim is ______ ______ ______ ______ Sam.

2 돈은 건강만큼 중요하지 않다. (not, important)

→ Money is ______ ______ ______ ______ health.

3 저 파란 트럭은 이 빨간 트럭만큼 크지 않다. (not, big)

→ That blue truck is ______ ______ ______ ______ this red truck.

4 나는 당신만큼 빨리 수영하지 못한다. (can't, fast)

→ I ______ swim ______ ______ ______ you can.

STEP 3 다음 주어진 문장을 부정문으로 다시 쓰시오.

1 My room is as large as my sister's.

→ ____________________

2 I am as good at tennis as my brother.

→ ____________________

3 She gets up as early as I do.

→ ____________________

Voca
large 큰
be good at ~에 능숙하다
early 일찍

STEP 4 다음 우리말과 같은 뜻이 되도록 주어진 단어를 배열하여 문장을 완성하시오.

1 그녀는 Chris만큼 예의가 바르다. (as polite as, is, she, Chris)

→ ______

2 Mary는 Jane만큼 똑똑하지 않다. (so smart as, is, Mary, not, Jane)

→ ______

3 나는 Tom 만큼 높이 뛸 수 있다. (as high as, I, jump, Tom, can)

→ ______

4 그는 나만큼 피아노 연습을 열심히 한다. (as hard as, he, the piano, practices, me)

→ ______

5 Paul은 Willy만큼 중국어를 유창하게 못한다. (as fluently as, can't, Paul, speak, Chinese, Willy)

→ ______

6 배구는 농구만큼 재미있다. (is, volleyball, basketball, as fun as)

→ ______

Voca
polite 예의 바른
practice 연습하다

STEP 5 다음 우리말과 같은 뜻이 되도록 주어진 말을 이용하여 문장을 완성하시오.

1 빨간 소파는 검은 소파만큼 안락하다. (the red sofa, comfortable, the black one)

→ ______

2 루비는 다이아몬드만큼 단단하지 않다. (ruby, not, hard, diamond)

→ ______

3 그녀는 Jerry만큼 바이올린 연주를 잘 한다. (can, play, the violin, well)

→ ______

4 Simon은 Jake만큼 많이 먹는다. (eat, much)

→ ______

5 나는 John만큼 스포츠를 좋아하지 않는다. (not, like sports, much)

→ ______

6 Tony는 그의 형만큼 영리하지 않다. (Tony, not, clever, his brother)

→ ______

Voca
diamond 다이아몬드
clever 영리한

Unit 04 비교급을 이용한 비교 표현

「형용사 / 부사의 비교급 + than + 비교 대상」: ~보다 …한/하게

· Mark is fatter than Jennifer (is). Mark는 Jennifer보다 뚱뚱하다.
(= Jennifer is not as fat as Mark.)

· He works harder than me[I do]. 그는 나보다 더 열심히 일한다.

Tips
very는 비교급을 강조할 수 없다.
(X) This coat is **very** more expensive than that one.

비교급 강조: much, even, far, still, a lot 등을 사용하여 강조하고 '훨씬', '더욱'이라고 해석한다.

· This coat is much more expensive than that one.
이 코트가 저것보다 훨씬 비싸다.

Answers - p.13

Check-up 1 다음 괄호 안에서 가장 알맞은 것을 고르시오.

1 She is (young / younger) than I am.

2 This box is a lot (heavy / heavier) than that one.

3 His car can run (as fast / faster) than mine.

4 E-mails are (as convenient / more convenient) than letters.

5 I eat more (as / than) my sister does.

6 Soccer is (much / very) more popular than basketball in this country.

Voca
convenient 편리한
letter 편지
popular 인기 있는

Check-up 2 주어진 단어를 사용하여 비교급 문장을 완성하시오.

1 (thick) This book is ______________ than that one.

2 (smart) Nancy is far ______________ than Sally.

3 (big) The Sun is ______________ than the Earth.

4 (fat) My younger brother is still ______________ than I am.

5 (heavy) This bag is ______________ than mine.

6 (difficult) The last question is ______________ than the first one.

7 (quickly) I ate ______________ than David did.

Voca
(the) Earth 지구
mine 나의 것
last 마지막의
quickly 빨리

STEP 1 다음 우리말과 같은 뜻이 되도록 주어진 말을 이용하여 문장을 완성하시오.

1 아버지는 형보다 힘이 훨씬 더 세다. (far, strong)

→ My father is ______ ______ ______ my brother.

2 빨간색 신발이 검은색 신발보다 더 비싸다. (expensive)

→ The red shoes are ______ ______ ______ the black shoes.

3 액션 영화가 코미디보다 더 신난다. (exciting)

→ Action movies are ______ ______ ______ comedies.

4 Jack은 나보다 훨씬 일찍 일어난다. (much, early)

→ Jack gets up ______ ______ ______ I do.

5 당신은 어제보다 더 건강해 보인다. (well)

→ You look ______ ______ yesterday.

STEP 2 다음 각 그림을 보고 주어진 말을 이용하여 문장을 완성하시오.

Voca
thin 홀쭉한, 마른
sweater 스웨터

1 The building on the right is ______ the building on the left. (tall)

2 My sister's room is ______ my room. (clean)

3 The girl is ______ the boy. (thin)

4 The coat is ______ the sweater. (expensive)

$100 $150

STEP 3 다음 우리말과 같은 뜻이 되도록 주어진 단어를 배열하여 문장을 완성하시오.

1 저 소년은 나보다 훨씬 키가 크다. (taller, than, is, that boy, a lot, me)

→ ______________________________

2 Sue의 머리는 Lisa의 머리보다 짧다. (is, Sue's hair, Lisa's, shorter, than)

→ ______________________________

3 그는 형보다 인기가 더 좋다. (he, than, his brother, more popular, is)

→ ______________________________

4 파란색 치마는 노란색 치마보다 비싸다. (is, the blue skirt, the yellow skirt, than, more expensive)

→ ______________________________

5 나는 Paul보다 훨씬 더 느리게 걷는다. (more slowly, I, than, walk, far, Paul)

→ ______________________________

6 치타는 사자보다 빠르다. (is, than, faster, the cheetah, the lion)

→ ______________________________

Voca
popular 인기 있는
expensive 비싼
skirt 치마
cheetah 치타

STEP 4 다음 우리말과 같은 뜻이 되도록 주어진 말을 이용하여 문장을 완성하시오.

1 나는 그보다 용감하다. (brave)

→ ______________________________

2 바이올린은 첼로보다 더 작다. (violins, small, cellos)

→ ______________________________

3 이 가수는 저 배우보다 훨씬 더 유명하다. (this singer, even, famous, that actor)

→ ______________________________

4 그녀는 나보다 더 일찍 일어난다. (get up, early)

→ ______________________________

5 우리는 그들보다 영어를 훨씬 더 잘 말할 수 있다. (can, speak, English, well)

→ ______________________________

6 오늘이 어제보다 더 따뜻하다. (today, warm, yesterday)

→ ______________________________

Unit 05 최상급을 이용한 비교 표현

최상급은 셋 이상의 것 중에서 '가장 ~하다'라는 뜻으로, 최상급 앞에는 정관사 the가 온다.

❶ the 최상급 (+명사)+of+비교 대상(복수명사)
- Josh is the smartest (student) of all my students.
  Josh가 우리 반 학생 중 가장 똑똑한 학생이다.

❷ the 최상급 (+명사)+in+장소/단체(단수명사)
- Josh is the smartest (student) in my class.
  Josh가 우리 반에서 가장 똑똑한 학생이다.

Answers - p.14

Check-up 1 다음 괄호 안에서 가장 알맞은 것을 고르시오.

1 This building is the (tall / taller /tallest) in our city.

2 Today is the (hot / hotter / hottest) day of the month.

3 This is the (easy / easier / easiest) of all the questions.

4 James is the (good / better / best) player on his team.

5 What is the (large / larger / largest) country in the world?

6 This is the (expensive / more expensive / most expensive) in this store.

Voca
month 달, 월
question 문제, 질문
country 나라

Check-up 2 다음 빈칸에 in과 of 중 알맞은 전치사를 넣어 문장을 완성하시오.

1 Sam is the tallest ______________ all the boys.

2 My desk is the newest ______________ this classroom.

3 The red house is the biggest ______________ the three.

4 Mt. Everest is the highest ______________ the world.

5 The cheetah is the fastest ______________ all land animals.

6 Angela is the smallest girl ______________ the room.

Voca
Mt. (= mount) 산
land animal 육지 동물

STEP 1 다음 우리말과 같은 뜻이 되도록 주어진 말을 이용하여 문장을 완성하시오.

1 이 호텔은 그 도시에서 가장 저렴하다. (cheap)

→ This hotel is ______________ ______________ in the city.

2 우리 아버지가 가족 중 요리를 가장 잘 하신다. (well)

→ My dad cooks ______________ ______________ in my family.

3 이곳이 명동에서 가장 붐빈다. (crowded)

→ This place is ______________ ______________ ______________ in Myeong-dong.

4 저것이 우리 식당에서 가장 인기 있는 요리이다. (popular)

→ That is ______________ ______________ ______________ dish in our restaurant.

Voca
crowded 붐비는
dish 요리

STEP 2 다음 우리말과 같은 뜻이 되도록 주어진 말과 전치사를 이용하여 문장을 완성하시오.

1 Smith 씨는 우리 마을에서 가장 부자이다. (rich, my village)

→ Mr. Smith is ____.

2 태평양이 모든 바다 중에서 가장 깊다. (deep, all oceans)

→ The Pacific Ocean is ____.

3 Tony는 내 친구들 중 가장 재미있다. (funny, all my friends)

→ Tony is ____.

4 그 그룹에서 가장 지적인 사람은 누구니? (intelligent, the group)

→ Who is ____?

Voca
village 마을
ocean 바다, 해양
intelligent 지적인

STEP 3 다음 표를 보고 괄호에 주어진 말을 이용하여 최상급 문장을 완성하시오.

	height(cm)	weight(kg)	age(yrs)
John	172	68	10
Bob	170	70	12
Tom	165	72	11

1 John is ______________________________ of the three. (tall)

2 Tom is ______________________________ of the three. (heavy)

3 ______________ is ______________ of the three. (old)

4 ______________ is ______________ of the three. (young)

STEP 4 다음 우리말과 같은 뜻이 되도록 주어진 단어를 배열하여 문장을 완성하시오.

1 아마존 강은 모든 강 중에서 가장 길다. (of all rivers, the longest, is, the Amazon)

→ ______________________________

2 세계에서 가장 나이가 든 사람은 누구니? (in the world, is, who, the oldest person)

→ ______________________________

3 서울은 한국에서 가장 큰 도시이다. (in Korea, is, Seoul, the largest city)

→ ______________________________

4 Sam은 우리 반에서 가장 가벼운 학생이다. (in my class, Sam, the lightest, is, student)

→ ______________________________

5 그는 그 영화 속 배우 중에서 가장 잘 생겼다. (of all the actors, is, he, the most handsome, in the movie)

→ ______________________________

6 이것은 모든 문제 중에서 가장 어렵다. (all the questions, the most difficult, of, is, this)

→ ______________________________

STEP 5 다음 우리말과 같은 뜻이 되도록 주어진 말을 이용하여 문장을 완성하시오.

Voca
bridge 다리
place 장소
village 마을

1 세계에서 가장 높은 다리는 무엇인가요? (what, high, bridge, in the world)

→ ______________________________

2 그는 그 소년들 중 가장 어리다. (young, of the boys)

→ ______________________________

3 이 반지가 그 가게에서 가장 비싸다. (this ring, expensive, in the store)

→ ______________________________

4 이곳은 도시에서 가장 작은 마을이다. (this place, small, village, in the city)

→ ______________________________

5 검은 고양이는 여섯 마리 중 가장 뚱뚱하다. (the black cat, fat, of the six)

→ ______________________________

6 내 방이 우리 집에서 가장 어둡다. (my room, dark, in my house)

→ ______________________________

단답형 & 서술형

Answers - p.15

[1-3] 다음 주어진 단어를 알맞은 형태로 바꿔서 문장을 완성하시오.

1 어떤 이야기가 가장 슬프니? (sad)

→ Which story is the ____________?

2 그는 나에게 더 쉬운 질문을 했다. (easy)

→ He asked me an ____________ question.

3 두통이 더 나빠지고 있다. (bad)

→ My headache is getting ____________.

[4-6] 다음 우리말과 같은 뜻이 되도록 주어진 말을 이용하여 문장을 완성하시오.

4 우리 할머니가 할아버지보다 연세가 많으시다. (old)

→ My grandmother is ________ ________ my grandfather.

5 검은 코트는 흰색 코트보다 비싸다. (expensive)

→ The black coat is ________ ________ ________ the white coat.

6 Jane이 우리 반에서 머리가 가장 길다. (long)

→ Jane's hair is ________ ________ in my class.

[7-10] 다음 표를 보고 괄호에 주어진 말을 이용하여 최상급 문장을 완성하시오.

	height(cm)	weight(kg)	age(yrs)
Jack	172	68	11
Paul	170	70	12
Sam	173	72	10

7 (old)

→ ________ is ________ ________ ________ the three boys.

8 (light)

→ ________ is ________ ________ ________ the three boys.

9 (tall)

→ ________ is ________ ________ ________ the three boys.

10 (young)

→ ________ is ________ ________ ________ the three boys.

[11-13] 우리말과 같은 뜻이 되도록 괄호에 주어진 단어를 배열하여 문장을 완성하시오.

11 오늘은 어제만큼 춥다.
(as, cold, is, today, yesterday, as)

→ ____________________________

12 그의 방이 내 것보다 훨씬 더 크다.
(bigger, is, his room, much, mine, than)

→ ______________________

13 Tom은 Sam보다 더 조심해서 운전한다.
(carefully, Tom, Sam, drives, more, than)

→ ______________________

[14-17] 다음 우리말과 같은 뜻이 되도록 괄호에 주어진 말을 이용하여 문장을 완성하시오.

조건	1. 시제는 현재 시제로 쓸 것 2. 주어와 동사를 갖춘 완전한 문장으로 쓸 것

14 이것은 이 책에서 가장 흥미로운 이야기이다.
(this, interesting, story, the book)

→ ______________________

15 내 개들 중에서 저 흰 개가 가장 크다.
(that white dog, big, my dogs)

→ ______________________

16 올해 여름은 작년 여름만큼 덥지 않다.
(this summer, not, hot, last summer)

→ ______________________

17 나의 집은 그녀의 집만큼 크다.
(my house, large, hers)

→ ______________________

[18-20] 다음 문장을 주어진 조건에 맞춰 한 문장으로 쓰시오.

조건	1. 18~19번은 비교급으로 쓸 것 2. 20번은 최상급으로 쓸 것 3. 괄호에 주어진 말을 활용하여 긍정문으로 쓸 것 4. 주어와 동사를 갖춘 완전한 문장으로 쓸 것

18
- The red book has 100 pages.
- The blue book has 200 pages.

→ (much, thick)

____

____

19
- The blue jeans are $30.
- The black pants are $40.

→ (expensive)

____

____

20
- The blue ruler is 20 centimeters long.
- The red ruler is 30 centimeters long.
- The white ruler is 60 centimeters long.

→ (long, the three)

____

____

Chapter 9

문장의 구조

Unit 01 문장의 기본 구성요소

완전한 문장이 되기 위해 필수적으로 필요한 기본 구성요소에는 주어(subject), 동사(verb), 목적어(object), 보어(complement)가 있다.

주어(S)	동작이나 상태의 주체	They are brave. 그들은 용감하다. Elephants have a good memory. 코끼리는 좋은 기억력을 가지고 있다.
동사(V)	주어의 상태나 동작을 나타내는 말	He is a good man. 그는 좋은 남자다. I dance well. 나는 춤을 잘 춘다.
보어(C)	주어, 목적어를 보충해 주는 말	The park is beautiful. (주격보어) 그 공원은 아름답다. He made me happy. (목적격보어) 그는 나를 행복하게 만들었다.
목적어(O)	주어가 하는 동작의 대상	My grandmother wears glasses. 우리 할머니께서는 안경을 쓰신다.

문장의 기본 요소 외에 부가적인 정보를 제공하는 수식어구(modifier)에는 (대)명사를 수식하는 형용사, 부사(구)가 있다.

- The book on the desk is mine. 책상 위의 책은 내 것이다.
  S M V C

Answers - p.16

Check-up 다음 괄호 안의 문장 성분에 밑줄을 그으시오.

1 I became a doctor. (주어)

2 They speak Spanish. (주어)

3 He keeps a diary. (주어)

4 Sam wrote two books. (주어)

5 This book is fun. (주어)

6 A bird flew over a tree. (동사)

7 Mr. Kim is at home. (동사)

8 The soup tastes salty. (동사)

9 She read a book yesterday. (동사)

10 I made some cookies.(동사)

11 Mike loves sports. (목적어)

12 She wrote a letter. (목적어)

13 He bought vegetables. (목적어)

14 She speaks Chinese. (목적어)

15 A bear is catching fish. (목적어)

16 Tom is handsome. (보어)

17 This song is sad. (보어)

18 The steak smells good. (보어)

19 They call him Peter. (보어)

20 His daughter makes him happy. (보어)

Voca
Spanish 스페인어
keep a diary 일기를 쓰다
salty 짠
steak 스테이크

STEP 1 다음 문장의 주어에 밑줄을 그으시오.

1 Shakespeare wrote great plays.
2 She can speak Korean very well.
3 The book is on the desk.
4 A friend called me last night.
5 He felt cold.
6 His favorite subject is math.
7 The little boy was hungry.
8 My sister is playing the piano.
9 The computer doesn't work.
10 It rained heavily.

Voca
play 희곡
favorite 가장 좋아하는
heavily 심하게

STEP 2 다음 문장의 동사에 밑줄을 그으시오.

1 Peter swims very fast.
2 She drank some juice.
3 The singer is popular.
4 He will be 10 next year.
5 The pasta tastes delicious.
6 My parents gave me a gift.
7 The movie made us laugh.
8 The cookies smell good.
9 Tim is studying English in his room.
10 He can fix the machine.

Voca
laugh 웃다
fix 수리하다
machine 기계

STEP 3 다음 문장의 보어에 밑줄을 그으시오.

1 Her name is Lucy.
2 The water is warm.
3 Lisa became a nurse.
4 The milk smells bad.
5 The meat tastes strange.
6 They named their son Peter.
7 His father made him a lawyer.
8 I kept the table clean.
9 The game made us excited.
10 She found the story fun.

Voca
bad 상한
strange 이상한
name 이름을 지어주다

STEP 4 다음 문장의 목적어에 밑줄을 그으시오.

1 The giraffe drank water.
2 She loves chocolate.
3 He believes the story.
4 The girl wants a Christmas gift.
5 I teach science at a high school.
6 We like fruit very much.
7 They played soccer after school.
8 The coach made a mistake yesterday.
9 Bob is reading a book.
10 Tom took some pictures.

Voca
giraffe 기린
make a mistake 실수를 하다
take a picture 사진을 찍다

STEP 5 다음 우리말과 같은 뜻이 되도록 괄호에 주어진 단어를 배열하여 문장을 완성하시오.

1 새가 노래를 하고 있다. (are, the birds, singing)

→ ____________________

2 그의 삼촌은 매우 친절하다. (is, his uncle, very kind)

→ ____________________

3 우리 아버지는 차를 사셨다. (my father, a car, bought)

→ ____________________

4 그녀는 나에게 책을 주었다. (me, gave, she, a book)

→ ____________________

5 그는 딸에게 Nancy라는 이름을 지었다. (he, his daughter, named, Nancy)

→ ____________________

6 나는 그에게 편지를 보낼 것이다. (him, I, a letter, will, send)

→ ____________________

STEP 6 다음 우리말과 같은 뜻이 되도록 괄호에 주어진 말을 이용하여 문장을 완성하시오.

1 Tom은 파리에 살고 있다. (Tom, live, in Paris)

→ ____________________

2 우리 할아버지는 건강해 보이신다. (my grandfather, look, healthy)

→ ____________________

3 그들은 이탈리아어를 말할 수 있다. (can, speak, Italian)

→ ____________________

4 나는 할머니 할아버지를 사랑한다. (love, my grandparents)

→ ____________________

5 그녀는 자신의 방을 깨끗하게 유지한다. (keep, her room, clean)

→ ____________________

6 그 요리사는 그에게 피자를 만들어 줄 수 있다. (the chef, can, make, a pizza)

→ ____________________

Voca

healthy 건강한
Italian 이탈리아어
keep 유지하다
chef 요리사

Unit 02 주어 + 동사(1형식)

1형식은 「주어(S) + 동사(V)」로 이루어진 문장이다. 1형식 문장은 수식어구(M)와 함께 쓰이는 경우가 많다.
1형식에서는 목적어나 보어가 필요 없는 go, run, sleep과 같은 완전자동사가 쓰이는 것이 특징이다.

- The phone rang. 전화벨이 울렸다.
  (The phone: S, rang: V)
- He is behind you. 그가 네 뒤에 있다.
  (He: S, is: V, behind you: M)

「There + be동사 ~ (~이 있다)」로 시작하는 문장도 1형식이다. There는 형식상의 주어로 '거기에'라고 해석하지 않는다.

There is[was] + 단수명사	There is a toy in the box. 박스 안에 장난감이 있다.
There are[were] + 복수명사	There are eggs in the basket. 바구니에 계란이 있다.

Answers - p.19

Check-up 1 다음 주어, 동사를 찾아 밑줄을 긋고, 각각 S, V로 표시하시오.

1 The train left.

2 He can swim.

3 A cheetah is running.

4 Tom dances well.

5 The children were playing at 5.

6 The store is across the street.

7 Kevin was at the library.

8 Michael lives in Washington.

Voca
leave 떠나다
across ~의 맞은편에
street 도로

Check-up 2 다음 우리말과 일치하도록 there를 써서 문장을 완성하시오.

1 접시 위에 오렌지가 있다. → ________ ________ an orange on the plate.

2 방 안에 두 개의 책상이 있다. → ________ ________ two desks in the room.

3 가방 안에 지갑이 있었다. → ________ ________ a wallet in the bag.

4 방 안에 학생 두 명이 있었다. → ________ ________ two students in the room.

5 무대 위에 많은 사람이 있나요? → ________ ________ many people on the stage?

6 문 옆에 우산이 하나 있었나요? → ________ ________ an umbrella by the door?

Voca
plate 접시
wallet 지갑
stage 무대

STEP 1 다음 우리말과 같은 뜻이 되도록 주어진 단어를 배열하여 문장을 완성하시오.

1 한 남자가 노래를 불렀다. (sang, a, man)

→ ______________________________

2 Jack과 나는 뛰었다. (ran, Jack, I, and)

→ ______________________________

3 그녀의 부모님은 매일 운동하신다. (her, exercise, parents)

→ ______________________________ every day.

4 그의 개는 시끄럽게 짖는다. (his, barks, dog)

→ ______________________________ loudly.

5 벽에 그림이 있다. (paintings, are, there)

→ ______________________________ on the wall.

6 뒷마당에 나무가 한 그루 있었다. (there, a tree, was)

→ ______________________________ in the backyard.

Voca

bark 짖다

painting 그림

backyard 뒷마당

STEP 2 다음 우리말과 일치하도록 괄호 안의 말을 이용하여 문장을 완성하시오.

1 그는 많이 먹는다. (eat)

→ __________ __________ a lot.

2 그녀는 빨리 걷는다. (walk)

→ __________ __________ fast.

3 몇 명의 학생들이 교실에 있다. (some students)

→ __________ __________ __________ in the classroom.

4 나는 부엌에서 요리를 하고 있는 중이다. (cook)

→ __________ __________ __________ in the kitchen.

5 냉장고에 멜론이 하나 있다. (there, a melon)

→ __________ __________ __________ __________ in the fridge.

6 선반에 몇 권의 책이 있다. (there, some books)

→ __________ __________ __________ __________ on the shelf.

STEP 3 다음 우리말과 같은 뜻이 되도록 주어진 단어를 배열하여 문장을 완성하시오.

1 버스가 오고 있는 중이다. (is, the bus, coming)

→ ______________________________

2 고양이가 잠을 자는 중이다. (sleeping, the cat, is)

→ ______________________________

3 사과가 땅으로 떨어졌다. (from the tree, fell, an apple)

→ ______________________________

4 헬리콥터가 건물 위로 날아갔다. (flew, a helicopter, over the building)

→ ______________________________

5 놀이터에 아이들 몇 명이 있다. (are, there, on the playground, some kids)

→ ______________________________

6 수업은 곧 시작할 것이다. (soon, will, the class, begin)

→ ______________________________

STEP 4 다음 우리말과 같은 뜻이 되도록 주어진 말을 이용하여 문장을 완성하시오.

Voca

around
~의 주위에

bus stop
버스 정류장

seal
물개

1 지구는 태양 주위를 돈다. (the Earth, go, around the Sun)

→ ______________________________

2 첫 열차는 오전 5시 30분에 출발한다. (the first train, leave, at 5:30, in the morning)

→ ______________________________

3 침대 밑에 휴대폰이 있다. (there, a cell phone, under the bed)

→ ______________________________

4 그들은 공원에서 뛰는 중이다. (they, running, in the park)

→ ______________________________

5 그녀는 버스 정류장에서 기다리는 중이다. (she, waiting, at the bus stop)

→ ______________________________

6 물개 몇 마리가 물속을 헤엄치는 중이다. (some seals, swimming, in the water)

→ ______________________________

Unit 03 주어 + 동사 + 보어(2형식)

2형식은 「주어(S)+동사(V)+보어(C)」로 이루어진 문장이다. 보어 자리에는 명사나 형용사가 오는데, 주어와 동격을 이루거나 보충 설명해 준다.

be ~이다 become ~가 되다 turn ~로 변하다	Lisa is a writer. Lisa는 작가이다. S V C He became a lawyer. 그는 변호사이다. S V C My face turned red. 내 얼굴은 빨개졌다. S V C
「감각동사+형용사」 (look, feel, smell, sound, taste)	That sounds interesting. 흥미롭게 들려요. S V C The wool looks soft. 양털은 부드러워 보인다. S V C

Tips
감각동사 뒤에 부사를 쓰지 않도록 주의한다.
(X) The wool looks ~~softly~~.

Tips
감각동사 뒤에 명사를 쓸 때는 전치사 like를 쓴다.
She **looks** like an actress.
그녀는 배우처럼 보인다.

Answers - p.20

Check-up 1 주어, 동사, 보어를 찾아 밑줄을 긋고 각각 S, V, C로 표시하시오.

1 Mike is my son.

2 He became a teacher.

3 I feel hungry.

4 Dr. Smith is a great scientist.

5 She is a very smart person.

6 Jack and I are close friends.

7 My favorite subject is math.

8 The girl looks young.

Voca
scientist 과학자
close 친한
subject 과목

Check-up 2 다음 괄호 안에서 알맞은 것을 고르시오.

1 She became (famous / famously).

2 The knife looks very (sharp / sharply.)

3 The chicken soup smells (good / well).

4 He looks (a nice person / like a nice person).

5 That sounds (a good idea / like a good idea).

Voca
knife 칼
sharp 날카로운

STEP 1 다음 괄호에 주어진 말을 어법에 맞게 고쳐 문장을 완성하시오.

1 It was ________________ yesterday. (wind)

2 It is ________________ outside. (sun)

3 She seems ________________. (happiness)

4 He feels ________________. (tire)

5 They look ________________. (sadness)

Voca
outside 밖에
seem ~인 것 같다
happiness 행복
tire 피곤하게 만들다
sadness 슬픔

STEP 2 다음 괄호에 주어진 말을 이용하여 문장을 완성하시오. (단, 동사는 현재시제를 쓸 것)

1 (look) a. She ________________ pretty in that blouse.
b. She ________________ her mother.

2 (sound) a. The plan ________________ great.
b. That ________________ a great plan.

3 (taste) a. The sauce ________________ too salty.
b. This food ________________ chocolate.

4 (smell) a. The milk ________________ bad.
b. The soap ________________ flowers.

Voca
blouse 블라우스
salty 짭짤한
soap 비누

STEP 3 다음 밑줄 친 부분을 어법에 맞게 고치시오. (단, 어법에 맞으면 O표 하시오.)

1 He became a firefighter. → ________________

2 She became popular. → ________________

3 The movie was excitingly. → ________________

4 They kept silently. → ________________

5 This machine looks strangely. → ________________

6 He looked a friendly man. → ________________

Voca
firefighter 소방관
silently 조용한
friendly 친절한

STEP 4 다음 우리말과 같은 뜻이 되도록 주어진 단어를 배열하여 문장을 완성하시오.

1 저 꽃들은 튤립이다. (are, those flowers, tulips)

→ ______________________________

2 너는 유명한 배우가 될 것이다. (will, you, a famous actor, be)

→ ______________________________

3 그는 훌륭한 피아니스트가 되었다. (became, he, a great pianist)

→ ______________________________

4 그 이야기는 매우 친숙하게 들린다. (very, sounds, the story, familiar)

→ ______________________________

5 나는 바보 같다는 기분이 들었다. (felt, I, like, a fool)

→ ______________________________

6 그 아기는 천사같이 생겼다. (like, looks, the baby, an angel)

→ ______________________________

STEP 5 다음 우리말과 같은 뜻이 되도록 주어진 말을 이용하여 문장을 완성하시오. (단, 현재시제로 쓸 것)

Voca

dizzy 어지러운

leather 가죽

turn ~로 변하다

1 그는 지금 어지럽다. (feel, dizzy, now)

→ ______________________________

2 John은 매우 바빠 보인다. (look, very, busy)

→ ______________________________

3 이것은 가죽 냄새가 난다. (this, smell, leather)

→ ______________________________

4 이 케이크는 체리 맛이 난다. (this cake, taste, cherry)

→ ______________________________

5 나뭇잎들은 가을에 빨갛고 노랗게 변한다. (turn, red, yellow, in fall)

→ ______________________________

Unit 04 주어 + 동사 + 목적어(3형식)

3형식은 「주어(S) + 동사(V) + 목적어(O)」로 이루어진 문장이다. 주어가 하는 동작의 대상이 되는 목적어는 주로 명사(구)로 '~을/를'이라고 해석한다.

- We want a break. 우리는 휴식을 원한다.
  S V O
- I had a very strange dream. 나는 매우 이상한 꿈을 꾸었다.
  S V O
- She studies history very hard. 그녀는 역사를 매우 열심히 공부한다.
  S V O

Answers - p.21

Check-up 1 다음 문장에서 주어, 동사, 목적어를 찾아 밑줄을 긋고 S, V, O로 표시하시오.

1 I have a friend.

2 The girl loves flowers.

3 They missed the last train.

4 Tom has two dogs and a cat.

5 He had a nightmare last night.

6 Tim eats an apple every morning.

7 He wrote a letter to his aunt.

Voca
miss 놓치다
nightmare 악몽

Check-up 2 다음 괄호 안에서 알맞은 것을 고르시오.

1 We don't want your (help / helpful).

2 James showed (kind / kindness) to his classmates.

3 They ended the (meet / meeting) early.

4 The news brought (sad / sadness) to my family.

5 You are hiding the (true / truth) from me.

STEP 1 다음 우리말과 일치하도록 보기에서 주어진 말을 골라 알맞은 형태로 문장을 완성하시오.

보기	play	know	plant	want	like	have

1 그녀는 물을 원한다.

→ She ________________ water.

2 모두가 Susie를 좋아한다.

→ Everyone ________________ Susie.

3 그녀는 금반지가 있다.

→ She ________________ a gold ring.

4 그는 나를 모른다.

→ He doesn't ________________ me.

5 그 소년들은 방과 후에 야구를 한다.

→ The boys ________________ baseball after school.

6 그는 정원에 나무 몇 그루를 심을 것이다.

→ He will ________________ some trees in the garden.

Voca
baseball 야구
garden 정원

STEP 2 다음 우리말과 같은 뜻이 되도록 주어진 말을 이용하여 문장을 완성하시오.

1 그녀는 집을 갖고 있다. (have, a house)

→ She ________________________________.

2 그는 매일 아침에 우유를 마신다. (drink, milk)

→ He ________________________________ every morning.

3 그 요리사는 파스타를 만든다. (make, pasta)

→ The cook ________________________________.

4 우리는 역에서 그를 만날 것이다. (meet)

→ We'll ________________________________ at the station.

5 그들은 어제 전화를 받았다. (answer, the phone)

→ They ________________________________ yesterday.

6 나는 지난 월요일에 학교에서 그녀를 못 봤다. (not, see)

→ I ________________________________ at school last Monday.

Voca
cook 요리사
station 역

STEP 3 다음 우리말과 같은 뜻이 되도록 주어진 단어를 배열하여 문장을 완성하시오.

1 그는 오늘 큰 물고기를 잡았다. (a large fish, caught, he, today)

→ ______________________________

2 그녀는 어제 새 펜을 샀다. (a new pen, she, yesterday, bought)

→ ______________________________

3 Tony는 좋은 성적을 받을 것이다. (good grades, get, will, Tony)

→ ______________________________

4 그녀는 오늘 우산을 가지고 오지 않았다. (her umbrella, didn't bring, she, today)

→ ______________________________

5 그 가게는 신발과 가방을 판다. (and, shoes, sells, the store, bags)

→ ______________________________

6 나는 추리 소설을 읽는다. (detective novels, read, I)

→ ______________________________

STEP 4 다음 우리말과 같은 뜻이 되도록 주어진 말을 이용하여 문장을 완성하시오.

Voca
believe 믿다
classical music 클래식 음악
history 역사

1 지금 방을 청소하거라. (clean, your room, now)

→ ______________________________

2 나는 매주 일요일에 그 프로그램을 본다. (watch, the show, every Sunday)

→ ______________________________

3 우리 아버지는 그 이야기를 믿으신다. (my father, believe, the story)

→ ______________________________

4 우리 어머니는 클래식 음악을 좋아하신다. (my mother, like, classical music)

→ ______________________________

5 그녀는 커피를 마시지 않는다. (she, not, drink, coffee)

→ ______________________________

6 김 선생님은 고등학교에서 역사를 가르치신다. (Mr. Kim, teach, history, at a high school)

→ ______________________________

Unit 05 주어 + 동사 + 간접목적어 + 직접목적어(4형식)

4형식은 「주어(S) + 수여동사(V) + 간접목적어(IO) + 직접목적어(DO)」로 이루어진 문장이다. 4형식에 사용되는 수여동사는 의미상 '~에게(간접목적어)'와 '~을(직접목적어)'에 해당하는 두 개의 목적어를 갖는 동사이다.

- He gave me some flowers. 그는 내게 꽃을 주었다.
  S V IO DO
- My father made us a kite. 아버지는 우리에게 연을 만들어 주었다.
  S V IO DO

Tips
수여동사: give, send, bring, pass, teach, show, lend, buy, build, get, make, tell, ask

Answers - p.22

Check-up 1 다음 주어, 동사, 간접목적어, 직접목적어를 찾아 밑줄 긋고, 각각 S, V, IO, DO로 표시하시오.

1 Lisa gave me a gift.

2 Tom sent us a card.

3 She showed us some photos.

4 He bought his wife a ring.

5 I told the children a funny story.

6 They asked her some questions.

7 He brought me a chair.

Voca
gift 선물
photo 사진
funny 재미있는
question 질문

Check-up 2 다음 4형식 문장에서 불필요한 단어를 찾아 밑줄을 그으시오.

1 Uncle Jim bought for me a birthday present.

2 The waiter handed to us the bill.

3 James built for his sister a tree house.

4 The reporter asked of us a strange question.

5 Peter lent to me his car.

Voca
present 선물
hand 건네다
reporter 리포터
strange 이상한
lend 빌려주다

STEP 1 다음 우리말과 일치하도록 보기에서 주어진 말을 골라 알맞은 형태로 문장을 완성하시오.

보기	show	teach	give	tell	lend	send

1 Tom은 자신의 부모님에게 엽서를 보냈다.

→ Tom ________________ his parents a postcard.

2 그녀는 자신의 학생들에게 프랑스어를 가르친다.

→ She ________________ her students French.

3 그의 할아버지는 그에게 돈을 좀 주셨다.

→ His grandfather ________________ him some money.

4 당신의 표를 저에게 보여 주세요.

→ Please ________________ me your ticket.

5 그는 그들에게 이야기를 해 줬다.

→ He ________________ them a tale.

6 나는 Peter에게 소설책 한 권을 빌려줬다.

→ I ________________ Peter a novel.

Voca

postcard
엽서

tale
이야기

novel
소설

STEP 2 다음 우리말과 일치하도록 괄호에 주어진 말을 이용하여 4형식 문장을 완성하시오.

1 나는 그녀에게 가격을 물어보았다. (the price, her)

→ I asked ____.

2 웨이터는 그에게 유리잔을 가져다주었다. (a glass, him)

→ The waiter brought ____.

3 Rachel은 매일 자녀들에게 이야기를 읽어준다. (her kids, a story)

→ Rachel reads ____ every day.

4 그녀는 딸에게 쿠키를 만들어 줬다. (cookies, her daughter)

→ She made ____.

5 Mark는 지난주에 Julie에게 소포를 하나 보냈다. (a package, Julie)

→ Mark sent ____ last week.

6 우리 삼촌은 나에게 자전거를 사 줬다. (me, a bicycle)

→ My uncle bought ____.

STEP 3 다음 우리말과 같은 뜻이 되도록 주어진 단어를 배열하여 문장을 완성하시오.

Voca
text message 문자 메시지
niece 여자조카

1 우리 언니는 나에게 좋은 소식을 전해 주었다. (me, told, my sister, good news)

→ ____________________

2 나는 그에게 긴 메시지를 보냈다. (a long text message, I, him, sent)

→ ____________________

3 박 선생님은 학생들에게 음악을 가르치신다. (her students, teaches, Ms. Park, music)

→ ____________________

4 그녀는 나에게 돈을 좀 빌려줬다. (me, lent, she, some money)

→ ____________________

5 그는 자주 친구들에게 식사를 만들어 준다. (his friends, he, makes, often, meals)

→ ____________________

6 Adam은 조카에게 생일날 인형을 사 주었다. (bought, Adam, a doll, his niece, on her birthday)

→ ____________________

STEP 4 다음 우리말과 같은 뜻이 되도록 주어진 말을 이용하여 문장을 완성하시오.

Voca
mitten 벙어리장갑
truth 진실

조건	4형식 문장으로 쓸 것

1 그는 그녀에게 공을 패스했다. (pass, the ball)

→ ____________________

2 우리 할머니는 나에게 벙어리장갑을 만들어 주셨다. (my grandmother, make, mittens)

→ ____________________

3 기자들은 그에게 많은 질문을 했다. (the reporters, ask, many questions)

→ ____________________

4 나는 그들에게 진실을 말할 것이다. (will, tell, the truth)

→ ____________________

5 그녀는 어제 나에게 이메일을 보냈다. (send, an email, yesterday)

→ ____________________

6 그는 오늘 오후 그녀에게 가방 하나를 가져다주었다. (bring, a bag, this afternoon)

→ ____________________

Unit 06 문장의 전환: 4형식 → 3형식

목적어가 두 개인 4형식은 3형식으로 바꿀 수 있다.
이때, 간접목적어와 직접목적어의 위치를 바꾸고, 간접목적어 앞에 전치사(to, for, of)를 쓴다.

to를 쓰는 동사	give, tell, show, send, teach, write, pass, lend, bring...	He told her the truth. 그는 그녀에게 진실을 말했다. He told the truth to her.
for를 쓰는 동사	buy, make, find, get, cook, order, build...	She bought me a book. 그녀는 나에게 책을 사줬다. She bought a book for me.
of를 쓰는 동사	ask...	I asked him a question. 나는 그에게 질문을 했다. I asked a question of him.

Answers - p.24

Check-up 1 다음 괄호 안에서 가장 알맞은 것을 고르시오.

Voca
necklace 목걸이
question 질문

1 My grandmother gave (her necklace me / me her necklace).

2 My grandmother gave (her necklace to me / me to her necklace).

3 He bought (his students ice cream / ice cream his students).

4 He bought (ice cream for his students / his students for ice cream).

5 She asked (a question me / me a question).

6 She asked (a question of me / me of a question).

Check-up 2 다음 두 문장이 같은 뜻이 되도록 빈칸에 알맞은 전치사를 넣으시오.

Voca
build 짓다
parent 부모
direction 방향, 길

1 He read me a story yesterday.

= He read a story ______________ me yesterday.

2 Ken is building his parents a house.

= Ken is building a house ______________ his parents.

3 An old man asked me directions.

= An old man asked directions ______________ me.

STEP 1 다음 두 문장이 같은 뜻이 되도록 문장을 완성하시오.

1 Bill lent me some money.

= Bill lent some money ________________.

2 She gave Mark some candies.

= She gave some candies ________________.

3 My father got us tickets to a musical.

= My father got tickets to a musical ________________.

4 The teacher asked him a difficult question.

= The teacher asked a difficult question ________________.

Voca
lend 빌려주다
musical 뮤지컬
difficult 어려운

STEP 2 다음 우리말과 같은 뜻이 되도록 주어진 말을 이용하여 3형식 문장으로 완성하시오.

1 웨이터는 우리에게 계산서를 가져다주었다. (us, our bill)

→ The waiter brought ________________________________.

2 나는 아버지에게 좋은 모자를 사 드렸다. (my father, a nice hat)

→ I bought ________________________________.

3 그는 아들에게 장난감 자동차를 만들어 줬다. (his son, a toy car)

→ He made ________________________________.

4 한 젊은이가 연사에게 질문을 했다. (a question, the speaker)

→ A young man asked ________________________________.

STEP 3 다음 주어진 4형식 문장을 3형식 문장으로 다시 쓰시오.

1 Joy sent me a thank-you card.

→ ________________________________

2 John bought her a scarf.

→ ________________________________

3 They built the children a library.

→ ________________________________

4 He asked her an important question.

→ ________________________________

Voca
thank-you card 감사카드
scarf 목도리
library 도서관

STEP 4 다음 우리말과 같은 뜻이 되도록 주어진 단어를 배열하여 문장을 완성하시오.

1 그는 우리에게 주말 동안 자신의 차를 빌려줬다. (his car, lent, us, to, he, for the weekend)

→ ______

2 Kevin은 어제 나에게 선물을 보내줬다. (sent, to, Kevin, a present, me, yesterday)

→ ______

3 우리 오빠는 새에게 둥지를 지어주고 있다. (a nest, for, is building, my brother, the birds)

→ ______

4 그는 할머니에게 침대를 만들어 줄 것이다. (for, he, a bed, will make, his grandmother)

→ ______

5 그는 자주 나에게 사적인 질문을 한다. (personal questions, me, he, asks, often, of)

→ ______

6 우리 이모는 나에게 콘서트 표를 구해 주셨다. (for, my aunt, me, concert tickets, got)

→ ______

Voca
nest
둥지
personal
개인적인
often
종종, 자주

STEP 5 우리말과 같은 뜻이 되도록 주어진 말을 이용하여 문장을 완성하시오.

조건	to, for, of 중 알맞은 전치사를 이용하여 3형식 문장으로 쓸 것

1 그는 그녀에게 자신의 비밀을 말하지 않을 것이다. (will, tell, his secret, her)

→ ______

2 Tom은 자주 나에게 점심을 사 준다. (often, buy, lunch, me)

→ ______

3 그녀는 가끔 친구들에게 이메일을 쓴다. (sometimes, write, emails, her friends, me)

→ ______

4 그는 나에게 내 안경을 찾아주었다. (find, my glasses, me)

→ ______

5 그녀는 우리에게 아름다운 그림을 보여주었다. (show, a beautiful picture, us)

→ ______

6 그들은 나의 부모님께 몇 가지 질문을 했다. (ask, some questions, my parents)

→ ______

Unit 07 주어 + 동사 + 목적어 + 목적격보어(5형식)

5형식은 「주어(S) + 동사(V) + 목적어(O) + 목적격보어(OC)」로 이루어진 문장이다.
목적격보어는 목적어의 성질이나 상태를 보충 설명해 주는 말이다. 목적격보어에는 명사(구)나 형용사가 올 수 있다.

- He named his dog Max. 그는 그의 개 이름을 Max라고 지었다.
  S V O OC
- I found the book boring. 나는 그 책이 지루하다고 생각했다.
  S V O OC

Answers - p.25

Check-up 1 다음 문장에서 주어, 동사, 목적어, 목적격보어를 찾아 밑줄을 긋고 S, V, O, OC로 표시하시오.

Voca
tidy 깔끔한
bored 지루해하는

1 They call the man Nick.

2 He named his son John.

3 The song made him a star.

4 The gifts made me happy.

5 He keeps his room tidy.

6 He named his cat Tom.

7 The movie made me bored.

Check-up 2 다음 문장이 5형식이면 O, 아니면 X로 표시하시오.

1 Mr. Sanders looked unhappy. → ____________

2 We elected him our captain. → ____________

3 My mom sent me a lot of money. → ____________

4 The movie made the audience sad. → ____________

5 The doctor gave hope to the patient. → ____________

STEP 1 다음 우리말과 일치하도록 보기에서 주어진 말을 골라 알맞은 형태로 문장을 완성하시오.

보기	call	find	keep	make

Voca
hero 영웅
famous 유명한
difficult 어려운
life jacket 구명조끼

1 그들은 나를 영웅이라 불렀다.

→ They ________ me a hero.

2 그 영화는 그를 유명하게 만들었다.

→ The movie ________ him famous.

3 그들은 그 일이 어렵다고 생각했다.

→ They ________ the work difficult.

4 이 구명조끼는 나를 안전하게 지켜줬다.

→ This life jacket ________ me safe.

STEP 2 다음 우리말과 같은 뜻이 되도록 주어진 말을 이용하여 문장을 완성하시오.

1 나의 어머니는 나를 축구 선수로 만들었다. (a soccer player, me)

→ My mother made ________________________.

2 사람들은 그를 천재라 부른다. (him, a genius)

→ People call ________________________.

3 그들은 그녀를 반대표로 뽑았다. (the class leader, her)

→ They elected ________________________.

4 나는 그 노래가 슬프다고 생각했다. (sad, the song)

→ I found ________________________.

STEP 3 다음 밑줄 친 부분을 어법에 맞게 고치시오.

1 She made him famously. → ________

2 I found the test difficulty. → ________

3 They made me angrily. → ________

4 The hot cocoa kept me warmth. → ________

STEP 4 다음 우리말과 같은 뜻이 되도록 주어진 단어를 배열하여 문장을 완성하시오.

1 당신은 저를 Jerry라고 불러도 좋습니다. (me, you, call, can, Jerry)

→ ______________________________

2 그들은 자신들의 아기를 Ben이라고 이름 지었다. (their baby, named, they, Ben)

→ ______________________________

3 우리 아버지는 나를 음악가로 만드셨다. (made, my father, a musician, me)

→ ______________________________

4 그녀는 그 질문이 쉽다고 생각했다. (the question, she, easy, found)

→ ______________________________

5 그 음식은 나를 아프게 만들었다. (made, me, the food, sick)

→ ______________________________

6 나는 늘 화장실을 깨끗하게 유지한다. (the bathroom, I, keep, always, clean)

→ ______________________________

Voca
musician
음악가
bathroom
화장실

STEP 5 다음 우리말과 같은 뜻이 되도록 주어진 말을 이용하여 문장을 완성하시오.

1 우리는 그 강을 나일 강이라고 부른다. (call, the river, the Nile)

→ ______________________________

2 그는 자신의 개를 Fuzzy라는 이름을 붙였다. (name, his dog, Fuzzy)

→ ______________________________

3 그녀는 그 음식이 건강에 좋다고 생각했다. (find, the food, healthy)

→ ______________________________

4 그 영화는 그 마을을 유명하게 만들었다. (the movie, make, the village, famous)

→ ______________________________

5 이 커피는 당신을 깨어 있게 유지시켜 줄 것이다. (this coffee, will, keep, awake)

→ ______________________________

6 우리 가족은 나를 과학자로 만들었다. (my family, make, a scientist)

→ ______________________________

단답형 & 서술형

Answers - p.26

[1-3] 다음 보기에서 알맞은 동사를 골라 문장을 완성하시오.
(단, 동사는 현재형으로 쓸 것)

보기	find	look	rise

1 He ____________ handsome in that suit.

2 The Sun ____________ in the east.

3 I ____________ the class interesting.

[4-5] 다음 짝지어진 문장에 공통으로 들어갈 전치사를 쓰시오.

4
- She gave a pen __________ him.
- He teaches science __________ us.

→ ____________

5
- She made a hat __________ her mother.
- I cooked a meal __________ my sister.

→ ____________

[6-8] 다음 문장에서 어법에 맞지 않는 부분을 찾아 바르게 고치시오.

6 Paul asked some questions to me.

____________ → ____________

7 The apple tastes freshly.

____________ → ____________

8 He teaches Korean the students.

____________ → ____________

[9-10] 다음 괄호에 주어진 말을 이용하여 문장을 완성하시오.

조건 1. 동사는 현재형으로 쓸 것 2. 필요시 like를 추가할 것

9 (sound)
- That ____________ a great idea.
- The idea ____________ great.

10 (smell)
- The flower ____________ bad.
- The soup ____________ cheese.

[11-13] 다음 우리말과 같은 뜻이 되도록 괄호에 주어진 말을 이용하여 문장을 완성하시오.

조건 주어와 동사를 갖춘 완전한 문장으로 쓸 것

11 내 가방에 펜이 두 개 있다.
(there, pen, in my bag)

→ ____________________

12 그 노래는 나를 행복하게 만든다.
(the song, make, happy)

→ ____________________

13 Tom은 패션모델처럼 생겼다.
(Tom, look, a fashion model)

→ ____________________

[14-15] 다음 주어진 4형식 문장을 3형식으로 바꿔 쓰시오.

조건 주어와 동사를 갖춘 완전한 문장으로 쓸 것

14 I made the kids a delicious cake.

→ ____________________

15 The teacher told his students an interesting story.

→ ____________________

[16-18] 다음 우리말과 같은 뜻이 되도록 괄호에 주어진 단어를 배열하여 문장을 완성하시오.

16 우리 선생님은 나에게 질문을 하셨다.
(of, a question, asked, my teacher, me)

→ ____________________

17 내 친구들은 나를 Tony라고 부른다.
(me, call, my friends, Tony)

→ ____________________

18 그녀는 그에게 근사한 식사를 사 줬다.
(a nice meal, she, him, bought)

→ ____________________

[19-20] 다음 대화를 읽고 물음에 답하시오.

A Hey, what are you doing?
B I'm making steak ① ________ my mother. It's her birthday today.
A Oh, the steak smells really ⓐ deliciously. Did you buy a present ② ________ her, too?
B Yes, I will give a necklace ③ ________ her. And my father will give her a ring.
A Wow, your mom will be very happy!

19 ①~③에 들어갈 전치사를 각각 쓰시오.

① ________ ② ________ ③ ________

20 밑줄 친 ⓐ를 어법에 맞게 고치시오.

→ ____________________

Chapter 10

to부정사와 동명사

Unit 01 to부정사의 명사적 쓰임

to부정사는 「to + 동사원형」의 형태를 취하는데 to부정사의 역할 중에는 명사적 역할이 있다.
to부정사의 명사적 용법은 '~하는 것,' '~하기'라고 해석한다.

명사	I want cookies. 나는 쿠키를 원한다.
명사 역할을 하는 to부정사	I want to eat. 나는 먹기를 원한다. (X) I want ~~eat~~.

Tips

「주어 + want + A(목적어) + to부정사」: 주어는 A가 ~하기를 바라다
(이때, to부정사는 A의 목적격보어)

I want him **to read** the book.
나는 그가 그 책을 읽었으면 좋겠다.
(X) I want ~~he~~ to read the book.

to부정사는 명사적으로 쓰일 때 문장 안에서 주어, 보어, 목적어 역할을 한다.

주어	To bake cookies is fun. 쿠키를 굽는 것은 재미있다. = It is fun to bake cookies. 가주어 진주어
보어	My job is to bake cookies. 내 일은 쿠키를 굽는 것이다.
목적어	I like to bake cookies. 나는 쿠키 굽는 것을 좋아한다.

Answers - p.28

Check-up 1 다음 밑줄 친 to부정사의 역할을 고르시오.

1 To swim is good for health. (주어, 보어)

2 It is fun to ride a snowboard. (주어, 보어)

3 My plan is to lose weight. (주어, 보어)

4 He wants to buy a camera. (목적어, 목적격보어)

5 I want you to help me. (목적어, 목적격보어)

Voca
be good for ~에 좋다
snowboard 스노보드
lose weight 살을 빼다

Check-up 2 다음 밑줄 친 부분에 유의하여 주어진 말을 이용하여 문장을 완성하시오.

1 나는 독서하는 것을 좋아한다. (read)

→ I love ________ ________.

2 우리는 떠날 것을 결심했다. (leave)

→ We decided ________ ________.

3 그는 영어를 배우기를 희망한다. (learn)

→ He hopes ________ ________ English.

4 그녀는 내가 사과하기를 바란다. (I, apologize)

→ She wants ________ ________ ________.

Voca
decide 결심하다
apologize 사과하다

STEP 1 다음 주어진 말을 어법에 맞게 고쳐 문장을 완성하시오.

1. ________ ________ a horse is exciting. (ride)
2. It is fun ________ ________ soccer. (play)
3. His job is ________ ________ reports. (write)
4. She likes ________ ________ board games. (play)
5. He wants me ________ ________ the photo. (bring)
6. His parents want him ________ ________ a lawyer. (be)

Voca
exciting 흥미진진한
report 보고서, 보도
lawyer 변호사

STEP 2 다음 밑줄 친 부분에 유의하여 주어진 말을 이용하여 문장을 완성하시오.

1. 나는 찬 물을 마시고 싶다. (want, drink)
→ I ________ ________ ________ cold water.

2. 그는 새로운 음식을 먹어 보는 것을 좋아한다. (like, try)
→ He ________ ________ ________ new foods.

3. 그녀는 집에 돌아가는 것을 계획하고 있다. (plan, return)
→ She ________ ________ ________ home.

4. 그들은 해외에서 공부하기를 희망한다. (hope, study)
→ They ________ ________ ________ abroad.

Voca
return 돌아가다
study abroad 해외 유학하다

STEP 3 다음 우리말의 밑줄 친 부분에 유의하여 주어진 말을 이용하여 문장을 완성하시오.

1. 나는 행복하기를 바란다. (be) → I want ________________ happy.
나는 아버지가 행복하시기를 바란다. (father, be) → I want ________________ happy.

2. 그녀는 운동하기를 원한다. (exercise) → She wants ________________.
그녀는 우리가 운동하기를 원한다. (we, exercise) → She wants ________________.

3. 우리는 여기를 떠나기를 바란다. (leave) → We want ________________ here.
우리는 그가 여기를 떠나기를 바란다. (he, leave) → We want ________________ here.

4. 그는 피아노 치기를 원한다. (play) → He wants ________________ the piano.
그는 내가 피아노 치기를 원한다. (I, play) → He wants ________________ the piano.

STEP 4 다음 우리말과 같은 뜻이 되도록 주어진 단어를 배열하여 문장을 완성하시오.

Voca
dangerous 위험한
icy 얼음에 뒤덮인

1 빙판을 걸어가는 것은 위험하다. (to, walk, it, dangerous, is, on icy roads)

→ ______________________________

2 그들은 런던을 방문하기로 결심했다. (visit, to, London, decided, they)

→ ______________________________

3 그녀의 꿈은 작가가 되는 것이다. (to, is, her dream, be a writer)

→ ______________________________

4 나는 그곳에서 당신을 만나기를 바란다. (you, I, see, hope, to, there)

→ ______________________________

5 그는 우리가 그와 함께 살기를 원한다. (wants, he, with him, to, us, live)

→ ______________________________

6 우리는 서울로 이사 가는 것을 원하지 않는다. (move, to, don't, we, want, to Seoul)

→ ______________________________

STEP 5 다음 우리말과 같은 뜻이 되도록 주어진 말을 이용하여 문장을 완성하시오.

Voca
essay 글, 수필, 리포트
expect 예상하다

1 자전거를 타는 것은 재미있다. (it, fun, ride a bicycle)

→ ______________________________

2 우리는 공원에서 조깅하는 것을 좋아한다. (love, jog in the park)

→ ______________________________

3 내 숙제는 작문을 하는 것이다. (my homework, write an essay)

→ ______________________________

4 그녀는 내가 그녀의 말을 듣기를 원한다. (want, I, listen to her)

→ ______________________________

5 나는 파티에서 그를 보게 될 것을 예상하지 않았다. (not, expect, see him, at the party)

→ ______________________________

6 그녀는 가수가 되기를 원하지 않는다. (not, want, be a singer)

→ ______________________________

Unit 02 to부정사의 부사적, 형용사적 쓰임

to부정사는 명사적 용법 외에 부사적 용법, 형용사적 용법도 있다.

❶ to부정사는 부사처럼 동사, 형용사, 부사를 수식할 수 있다.
이때 to부정사는 목적이나 감정의 원인을 나타낼 수 있다.

목적	He came to see me. 그는 나를 보기 위해서 왔다.
감정의 원인	I'm happy to meet you. 당신을 만나게 되어 기쁩니다.

Tips
목적(~하기 위해서)을 나타내는 to부정사는 「in order to + 동사원형」으로 바꿀 수 있다.
He came **to see** me.
(= He came **in order to** see me.)

❷ to부정사의 형용사적 용법은 형용사처럼 (대)명사를 수식한다.
이때 to부정사는 (대)명사 뒤에서 수식한다.

명사 수식	He bought a magazine to read. 그는 읽을 잡지를 샀다.
대명사 수식	I want something cold to drink. 나는 차가운 마실 것을 원한다.

Tips
to부정사가 전치사를 수반해야 하는지 아닌지는 to부정사 뒤에 목적어를 놓아 보면 알 수 있다.
I need a chair **to sit on.**
나는 앉을 의자가 필요하다.
(sit on a chair)

Answers - p.29

Check-up 1 다음 밑줄 친 부분의 의미 중 가장 알맞은 것을 고르시오.

1 She came here to say good-bye. (목적, 감정의 원인)
2 I ran to catch the bus. (목적, 감정의 원인)
3 They went to the park to take a walk. (목적, 감정의 원인)
4 He was happy to see you. (목적, 감정의 원인)
5 I'm sad to hear the bad news. (목적, 감정의 원인)

Voca
say good-bye
작별 인사를 하다
take a walk
산책하다

Check-up 2 다음 보기와 같이 밑줄 친 to부정사가 수식하는 곳에 화살표 표시 하시오.

보기 It's time to get up.

1 I have something to say.
2 He brought some bread to eat.
3 Seoul has many places to visit.
4 They have a lot of work to do.

Voca
place
장소
visit
방문하다

STEP 1 다음 밑줄 친 부분에 유의하여 주어진 말을 이용하여 문장을 완성하시오.

1 나는 오렌지 몇 개를 사기 위해 시장에 갔다. (buy some oranges)

→ I went to the market ________________________.

2 그는 체중을 줄이기 위해 열심히 운동했다. (lose weight)

→ He exercised hard ________________________.

3 그녀는 영어를 공부하기 위해 밴쿠버로 갔다. (study English)

→ She went to Vancouver ________________________.

4 엄마는 코미디 프로그램을 보기 위해 TV를 켰다. (watch a comedy show)

→ Mom turned on the TV ________________________.

STEP 2 다음 우리말과 일치하도록 괄호에 주어진 말을 이용하여 빈칸을 완성하시오.

1 우리는 상을 타서 행복하다. (happy, win)

→ We are ________ ________ ________ the prize.

2 그들은 그 게임을 보게 되어 신이 났다. (excited, watch)

→ They were ________ ________ ________ the game.

3 그녀는 그 이야기를 듣고 놀랐다. (surprised, hear)

→ She was ________ ________ ________ the story.

4 그는 그 그림을 보고 깜짝 놀랐다. (shocked, see)

→ He was ________ ________ ________ the picture.

STEP 3 다음 우리말과 일치하도록 괄호에 주어진 단어를 배열하여 문장을 완성하시오.

1 나는 쉴 시간이 필요하다. (rest, to, time)

→ I need ________________________.

2 그녀는 초대할 두 명의 사람이 있다. (invite, to, two people)

→ She has ________________________.

3 잠 잘 시간이다. (go to bed, to, time)

→ It's ________________________.

4 그들은 당신에게 빌려줄 돈이 조금 있다. (lend, to, some money, you)

→ They have ________________________.

Voca
rest 쉬다
invite 초대하다
lend 빌려주다

STEP 4 다음 보기와 같이 두 문장을 in order to를 이용하여 한 문장으로 다시 쓰시오.

Voca
in order to ~하기 위해서
gym 헬스클럽, 체육관
university 대학교

보기	He came here. He wanted to see me. → He came here in order to see me.

1 He goes to the gym every day. He wants to stay healthy.

→ ______________________________

2 She studies hard. She wants to enter the university.

→ ______________________________

3 I bought eggs. I wanted to make cookies.

→ ______________________________

4 She called him. She wanted to have lunch with him.

→ ______________________________

5 Tim visited New York. He wanted to see his grandparents.

→ ______________________________

STEP 5 다음 우리말과 같은 뜻이 되도록 주어진 말을 이용하여 문장을 완성하시오.

Voca
flour 밀가루
aunt 고모, 이모

1 나는 그 이야기를 들으니 기쁘다. (glad, hear, the story)

→ ______________________________

2 그는 열차를 타기 위해 일찍 일어난다. (get up, early, take the train)

→ ______________________________

3 그녀는 빵을 만들기 위해 밀가루를 사야 한다. (have to, buy, flour, make bread)

→ ______________________________

4 그들은 고모를 보게 되어 행복하다. (happy, see, their aunt)

→ ______________________________

5 그 소년은 함께 놀 친구가 많다. (the boy, have, many friends, play with)

→ ______________________________

6 작별 인사를 해야 할 시간이다. (it, time, say good-bye)

→ ______________________________

Unit 03 동명사

동명사는 「동사원형 + -ing」의 형태로, to부정사의 명사적 용법과 같이 문장 안에서 명사 역할을 한다.
동명사를 만드는 법은 현재분사를 만드는 법과 같다.

명사	I like sports. 나는 스포츠를 좋아한다.
명사 역할을 하는 동명사	I like playing sports. 나는 스포츠를 하는 것을 좋아한다. (X) I like ~~play~~ sports.

Tips

현재분사 vs. 동명사:
동명사는 문장 안에서 주어, 보어, 목적어 역할을 하지만 현재분사는 동사의 역할만 한다.

My hobby is singing. (동명사)
내 취미는 노래 부르기이다.
He is singing. (현재분사)
그는 노래를 부르고 있다.

동명사는 문장 안에서 주어, 보어, 목적어 역할을 한다.

주어	Playing sports is fun. 스포츠를 하는 것은 재미있다.
보어	My hobby is playing sports. 내 취미는 스포츠를 하는 것이다.
목적어	I enjoy playing sports. (동사의 목적어) 나는 스포츠를 하는 것을 즐긴다. I'm interested in playing sports. (전치사의 목적어) 나는 스포츠를 하는 것에 관심이 있다.

Answers - p.30

Check-up 1 다음 밑줄 친 동명사의 역할을 고르시오.

1 Swimming is very fun. (주어, 보어)

2 My hobby is collecting stamps. (주어, 보어)

3 My father enjoys singing. (동사의 목적어, 전치사의 목적어)

4 James is good at making things. (동사의 목적어, 전치사의 목적어)

Voca
collect 수집하다
stamp 우표
enjoy 즐기다
be good at ~을 잘하다

Check-up 2 다음 밑줄 친 부분에 유의하여 해석을 완성하시오.

1 Teaching is difficult. → ______________ 은 어렵다.

2 Writing an essay is not easy. → ______________ 은 쉽지 않다.

3 Her hobby is making songs. → 그녀의 취미는 ______________ 이다.

4 My aunt enjoys knitting. → 우리 이모는 ______________ 를 즐겨 한다.

5 They finished preparing meals. → 그들은 ______________ 을 끝냈다.

6 Tom is poor at playing tennis. → Tom은 ______________ 에 서투르다.

Voca
essay 에세이
knit 뜨개질하다
prepare 준비하다
meal 식사
be poor at ~에 서투르다

STEP 1 다음 주어진 말을 어법에 맞게 동명사로 고쳐 문장을 완성하시오.

Voca
hobby 취미
join 가입하다

1 ________________ is fun. (skate)

2 Her hobby is ________________ photos. (take)

3 I love ________________ to music. (listen)

4 She gave up ________________ the club. (join)

5 I'm sorry for ________________ late. (be)

STEP 2 다음 우리말과 일치하도록 주어진 말을 이용하여 문장을 완성하시오.

Voca
mind 꺼려하다
give up 포기하다

1 그 소년은 플라스틱 모델 만들기를 좋아한다. (love, make)

→ The boy ____________ ____________ plastic models.

2 그녀는 뮤지컬 보는 것을 즐긴다. (enjoy, watch)

→ She ____________ ____________ musicals.

3 그 어린 소년은 울음을 멈추지 않았다. (stop, cry)

→ The little boy didn't ____________ ____________.

4 창문 좀 열어 줄래? (mind, open)

→ Do you ____________ ____________ the window?

5 그는 운동하는 것을 포기하지 않을 것이다. (give up, exercise)

→ He won't ____________ ____________ ____________.

STEP 3 다음 보기에서 알맞은 단어를 골라 동명사 형태로 문장을 완성하시오.

Voca
bake 굽다
solve 풀다, 해결하다
problem 문제
hate 싫어하다

보기	bake	read	solve	play	go

1 My mother enjoys ____________ cookies.

2 They kept ____________ the problems.

3 The old man likes ____________ golf.

4 He finished ____________ the newspaper.

5 The girl hates ____________ to the hospital.

STEP 4 다음 우리말과 같은 뜻이 되도록 주어진 단어를 배열하여 문장을 완성하시오.

Voca
important 중요한
activity 활동

1 열심히 공부하는 것은 중요하다. (important, is, studying hard)

→ ____________________

2 우리 아버지는 담배를 끊으셨다. (gave up, my father, smoking)

→ ____________________

3 다시 비가 내리기 시작했다. (raining, again, began, it)

→ ____________________

4 그 소년은 축구를 잘한다. (at, good, is, the boy, playing soccer)

→ ____________________

5 그녀가 가장 좋아하는 활동은 음악 듣기이다. (listening to, is, her favorite activity, music)

→ ____________________

6 그녀는 계속 그와 이야기했다. (she, with him, kept, talking)

→ ____________________

STEP 5 다음 우리말과 같은 뜻이 되도록 주어진 말을 이용하여 문장을 완성하시오. (단, 동명사를 쓸 것)

Voca
hobby 취미
hike 도보 여행(하이킹)을 가다

1 스키 타기는 재미있다. (ski, fun)

→ ____________________

2 우리 삼촌의 취미는 도보 여행 하기이다. (my uncle's hobby, hike)

→ ____________________

3 문 좀 닫아 주겠니? (do, mind, close the door)

→ ____________________

4 그녀는 체중 감량을 포기할 것이다. (will, give up, lose weight)

→ ____________________

5 Mike는 기타 치기를 즐긴다. (enjoy, play the guitar)

→ ____________________

6 그는 사진 찍기를 좋아한다. (like, take pictures)

→ ____________________

Unit 04 to부정사와 동명사

to부정사와 동명사 둘 다 동사의 목적어로 쓰일 수 있지만, to부정사만 목적어로 오거나 동명사만이 목적어로 오는 경우가 있으므로 주의해야 한다.

to부정사만 목적어로 취하는 동사	would like, want, decide, hope, wish, promise, expect, plan ...
동명사만 목적어로 취하는 동사	enjoy, finish, mind, keep, avoid, give up, consider ...
to부정사와 동명사를 둘 다 취하는 동사	like, love, hate, begin, start ...

Tips

*stop + V-ing: ~하는 것을 멈추다
*stop + to부정사: ~하기 위해 (하던 일을) 멈추다
I stopped **reading** the book. 나는 책을 그만 읽었다.
I stopped **to read** a book. 나는 책을 읽으려고 (하던 일을) 멈췄다.

- I would like to read a book. 나는 책을 읽고 싶다.
- Do you mind opening the window? 창문 좀 열어줄래?
- He loves dancing[to dance]. 그는 춤추기를 좋아한다.

Answers - p.31

Check-up 1 다음 괄호 안에서 가장 알맞은 것을 모두 고르시오.

1 I want (to wash / washing) my hands.

2 He decided (joining / to join) the club.

3 They finished (to paint / painting) the room.

4 We gave up (to learn / learning) French.

5 She began (to laugh / laughing).

6 My father loves (to listen / listening) to classical music.

Voca
French 프랑스어
laugh (소리내어) 웃다
classical music 클래식 음악

Check-up 2 다음 주어진 말을 이용하여 문장을 완성하시오.

1 나는 그와 이야기하고 싶다. (talk) → I would like ______________ to him.

2 그들은 계속해서 걸었다. (walk) → They kept ______________.

3 눈이 내리기 시작했다. (snow) → It started ______________.

4 고양이는 젖는 것을 싫어한다. (get) → Cats hate ______________ wet.

5 Jim은 휴식을 취하려고 멈췄다. (rest) → Jim stopped ______________.

STEP 1 다음 우리말과 일치하도록 괄호에 주어진 말을 이용하여 문장을 완성하시오.

1 나는 곧 너를 만나기를 바란다. (hope, meet)

→ I ______________________ you soon.

2 그녀는 고득점을 받을 것으로 예상하고 있다. (expect, get)

→ She ______________________ a high score.

3 그들은 뉴욕에 방문하고 싶어 한다. (would like, visit)

→ They ______________________ New York.

4 바람이 계속해서 불고 있다. (keep, blow)

→ The wind ______________________.

5 우리 그만 먹자. (stop, eat)

→ Let's ______________________.

6 우리 하던 일을 멈추고 먹자. (stop, eat)

→ Let's ______________________.

Voca
hope 희망하다
soon 곧
blow (바람이) 불다

STEP 2 다음 조건에 맞게 주어진 문장과 같은 의미의 문장을 쓰시오.

조건	1~3번은 to부정사를 쓰고, 4~6번은 동명사를 쓸 것

1 It started snowing.

= ______________________________________

2 My little brother hates doing his homework.

= ______________________________________

3 Your uncle loves eating fast food.

= ______________________________________

4 I like to play volleyball.

= ______________________________________

5 They began to clean the classroom.

= ______________________________________

6 The children started to play a game.

= ______________________________________

Voca
fast food 패스트푸드
volleyball 배구

STEP 3 다음 우리말과 같은 뜻이 되도록 주어진 단어를 배열하여 문장을 완성하시오.

1 우리 언니는 대학에 들어가기로 결심했다. (decided, go to, to, my sister, college)

→

2 나는 그들을 도와주기로 약속했다. (promised, I, to, help them)

→

3 의사는 내 귀 검사를 끝냈다. (finished, checking, the doctor, my ears)

→

4 얼음이 녹기 시작했다. (started, the ice, melt, to)

→

5 그 소녀는 만화 보기를 좋아한다. (likes, the girl, watching, animations)

→

6 피자 좀 먹을래? (have, like, you, would, to, some pizza)

→

Voca
promise 약속하다
check 검사하다
melt 녹다

STEP 4 다음 우리말과 같은 뜻이 되도록 주어진 말을 이용하여 문장을 완성하시오.

1 그들은 한국에 방문하기를 희망한다. (hope, visit, Korea)

→

2 나는 곧 그곳에 도착할 것으로 예상한다. (expect, arrive, there, soon)

→

3 그녀는 바이올린 연주를 좋아한다. (love, play, the violin)

→

4 그는 탁구를 즐겨 친다. (enjoy, play, table tennis)

→

5 TV 좀 꺼줄래? (mind, turn off, the TV)

→

6 당신은 미래에 무엇이 되고 싶나요? (what, want, be, in the future)

→

Unit 05 to부정사와 동명사의 관용표현

to부정사의 관용표현

too+형용사/부사+to부정사 너무 ~해서 …할 수가 없다
형용사/부사+enough+to부정사 ~할 만큼 충분히 …하다

· She was too busy to call him. 그녀는 너무 바빠서 그에게 전화할 수 없었다.
(= She was so busy that she couldn't call him.)
· He is old enough to drive. 그는 운전할 만큼 나이가 들었다.

Tips
enough는 형용사, 부사 뒤, 명사 앞에 놓인다.
He is rich **enough to buy** the coat.
그는 그 코트를 살 만큼 충분히 부유하다.
He has **enough** money **to buy** the coat.
그는 그 코트를 살 만큼 충분한 돈이 있다.

동명사의 관용표현

go+-ing ~하러 가다	be interested in+-ing ~에 관심이 있다
feel like+-ing ~하고 싶다	be busy+-ing ~하느라 바쁘다
keep on+-ing 계속 ~하다	look forward to+-ing ~하기를 고대하다
How[What] about+-ing ~하는 것이 어때?	spend+시간[돈]+-ing ~하느라 시간[돈]을 들이다
thank+사람+for+-ing ~에 대해 ~에게 감사하다	have a hard time -ing ~하는 데 힘든 시간을 보내다

· He is interested in playing in the band. 그는 밴드에서 연주하는 것에 관심이 있다.
· They spent two hours playing hide-and-seek. 그들은 숨바꼭질하느라 두 시간을 보냈다.

Answers - p.32

Check-up 1 다음 괄호 안에서 알맞은 것을 고르시오.

1 Your bag is (so / too) heavy to carry.

2 She is (too / so) weak that she can't lift the box.

3 The fog is (so thick that / thick so that) I can't see anything.

4 He is (rich enough / enough rich) to buy a sports car.

5 I have (money enough / enough money) to buy a new computer.

Voca
carry 옮기다, 휴대하다
lift 들어올리다
thick (연기가) 자욱한
enough 충분한

Check-up 2 다음 주어진 말을 이용하여 문장을 완성하시오.

1 그들은 스키 타러 갔다. (ski) → They went ______________.

2 그는 차를 수리하느라 바쁘다. (fix) → He is busy ______________ a car.

3 그녀는 영화를 보고 싶다. (watch) → She feels like ______________ a movie.

4 초대해 주셔서 감사합니다. (invite) → Thank you for ______________ me.

5 나는 당신을 만나기를 고대합니다. (see) → I look forward to ______________ you.

STEP 1 다음 우리말과 같은 뜻이 되도록 주어진 단어를 배열하여 문장을 완성하시오.

1 그는 너무 어려서 그 게임을 할 수 없다. (to, young, too, play)

→ He is ______________________ the game.

2 그 부츠는 너무 비싸서 살 수 없다. (expensive, buy, too, to)

→ The boots are ______________________.

3 그 물은 달걀을 삶을 만큼 충분히 뜨겁다. (hot, boil, to, enough)

→ The water is ______________________ an egg.

4 나는 그 일을 끝낼 만큼 충분한 시간이 있다. (time, enough, finish, to)

→ I have ______________________ the work.

STEP 2 다음 우리말과 같은 뜻이 되도록 주어진 말을 이용하여 문장을 완성하시오.

Voca
eat out 외식하다
hour 시간

1 나는 외식하고 싶다. (feel like, eat)

→ I ________ ________ ________ out.

2 그는 학생을 가르치느라 바쁘다. (be busy, teach)

→ He ________ ________ ________ his students.

3 그들은 게임을 하는 데 많은 시간을 쓸 것이다. (spend, many hours, play)

→ They'll ________ ________ ________ ________ games.

4 그녀는 독일에 가는 것을 기대한다. (look forward to, go)

→ She ________ ________ ________ ________ to Germany.

STEP 3 다음 문장을 주어진 조건에 따라 다시 쓰시오. (단, 시제에 유의할 것)

Voca
upset 기분이 상한
calm down 진정하다

1 They work too slowly to finish the work today. (so ~ that + 주어 + ~ can't)

→ ______________________

2 He was too upset to calm down. (so ~ that + 주어 + ~ can't)

→ ______________________

3 I am so big that I can't wear this shirt. (too ~ to ~)

→ ______________________

4 Tom was so tall that he couldn't sleep in the bed. (too ~ to ~)

→ ______________________

STEP 4 다음 우리말과 같은 뜻이 되도록 주어진 단어를 배열하여 문장을 완성하시오.

1 나가기에는 너무 늦었다. (to, too, it's, late, go out)

→ ____________________

2 그 물은 마실 만큼 충분히 깨끗하다. (to, enough, is, the water, clean, drink)

→ ____________________

3 나는 매일 아침 조깅하러 간다. (jogging, every morning, go, I)

→ ____________________

4 그녀는 그에게 도와준 것에 대해 감사했다. (for, she, thanked him, helping, her)

→ ____________________

5 그는 해외 유학에 8년의 시간을 보냈다. (studying abroad, he, 8 years, spent)

→ ____________________

6 우리 언니는 일본에서 살면서 힘든 시간을 보냈다. (a hard time, had, my sister, living in Japan)

→ ____________________

STEP 5 다음 우리말과 같은 뜻이 되도록 주어진 말을 이용하여 문장을 완성하시오.

1 내 어린 여동생은 글을 읽기에 너무 어리다. (my little sister, too, young, read)

→ ____________________

2 그들은 축구팀을 만들 만큼 충분한 인원이 있다. (have, enough, members, make, a soccer team)

→ ____________________

3 이 테이블을 저기에 놓으면 어떨까? (how about, put, this table, over there)

→ ____________________

4 나는 산책을 가고 싶다. (feel like, go, for a walk)

→ ____________________

5 우리는 런던을 방문하기를 고대하고 있다. (looking forward to, visit, London)

→ ____________________

6 그는 새 차를 사는 것에 대해 관심이 있다. (be interested in, buy, a new car)

→ ____________________

Voca
member
인원, 일원
over there
저쪽에
go for a walk
산책하러 가다

단답형 & 서술형

Answers - p.34

[1-3] 다음 우리말과 같은 뜻이 되도록 괄호에 주어진 말을 이용하여 문장을 완성하시오.

조건 동사의 시제에 유의할 것

1 나는 커피를 좀 마시고 싶다. (feel, have)

→ I ______ ______ ______ some coffee.

2 그들은 시험 공부를 하느라 바쁘다. (busy, study)

→ They ______ ______ ______ for the test.

3 그는 편지 쓰는 것을 멈췄다. (stop, write)

→ He ______ ______ the letter.

[4-8] 다음 괄호에 주어진 말을 이용하여 대화를 완성하시오.

4 A Do you want to be a scientist?
B Yes, I do. I like ______ things about nature. (find out)

5 A Why did you get up so early today?
B I got up early ______ the first train. (catch)

6 A Tom left the hospital. He is okay now.
B I'm ______ that. (glad, hear)

7 A I watched the new action movie. It was really exciting.
B Really? I ______ it soon. (hope, watch)

8 A ______ you ______ some cake? (would, like, eat)
B Thanks. It looks yummy.

[9-10] 다음 문장에서 틀린 부분을 찾아 어법에 맞게 고쳐 쓰시오.

9 How about play tennis this afternoon?

______ → ______

10 She doesn't mind to eat alone at lunch.

______ → ______

[11-14] 다음 우리말과 같은 뜻이 되도록 주어진 단어를 배열하여 문장을 완성하시오.

11 당신은 미래에 무엇이 되고 싶나요?
(to be, do, what, want, you, in the future)

→ ______

12 나는 인터넷을 이용하는 데 몇 시간을 보냈다.
(using, I, a few hours, spent, the Internet)

→ ______________________________

____

13 그녀는 세계 일주 여행을 다닐 정도로 충분히 부자다.
(to travel, is, enough, rich, she, around the world)

→ ______________________________

____

14 당신은 차가운 마실 것을 원하시나요?
(something, cold, do, want, you, to drink)

→ ______________________________

____

[15-17] 다음 괄호 안의 말을 이용하여 주어진 문장과 뜻이 같은 문장을 완성하시오.

조건 1. 동사의 시제에 유의할 것
2. 주어와 동사를 갖춘 완전한 문장으로 쓸 것

15 To pass the exam is difficult. (it)

→ ______________________________

16 I am too busy to talk to you right now.
(so ~ that + 주어 + can't ~)

→ ______________________________

17 He called me to ask some questions.
(in order to)

→ ______________________________

[18-20] 다음 우리말과 같은 뜻이 되도록 괄호에 주어진 말을 이용하여 문장을 완성하시오.

조건 1. 동사의 시제에 유의할 것
2. 주어와 동사를 갖춘 완전한 문장으로 쓸 것

18 그는 자신의 나라로 돌아가는 것을 고대하고 있다.
(look forward to, return, to his country)

→ ______________________________

19 그녀는 정보를 좀 찾아보려고 하던 일을 중단했다.
(stop, find, some information)

→ ______________________________

20 나는 그가 우리 동아리에 가입했으면 좋겠다.
(want, he, join, our club)

→ ______________________________

Chapter 11

전치사

Unit 01 장소를 나타내는 전치사

전치사는 명사나 대명사 앞에 쓰여 장소, 방향, 시간 등을 나타내는 말이다.

❶ in / at / on

in ~안에	도시나 나라 이름 앞 특정 장소의 안쪽 택시, 자가용을 탄 옷을 입은	in Seoul 서울에서 in my bag 가방 안에 in a taxi 택시를 타고 in black 검은 옷을 입은
at ~에	하나의 지점 특정한 목적이 있는 곳	at the party 파티에서 at the bus stop 버스정류장에서
on ~ 위에	표면 위에 접촉하여 비행기[버스, 기차, 배 …]를 탄	on the wall 벽에 on the bus 버스를 타고

Tips

전치사의 목적어로 대명사가 쓰인 경우 항상 목적격을 쓴다.

(O) He is sitting in front of her.
그는 그녀 앞에 앉아 있다.
(X) He is sitting in front of ~~she~~.

❷ under / over / in front of / behind / next to / between

under ~ 아래에	over ~ 위에	between ~ 사이에
in front of ~ 앞에	behind ~ 뒤에	next to(= by, beside) ~ 옆에

· There's a dog under the table. 테이블 아래에 개 한 마리가 있다.
· A boy is sitting between his mom and dad. 한 소년이 엄마 아빠 사이에 앉아 있다.

Tips

under나 over는 표면과 떨어져 있을 때 쓰일 수 있는 반면, on은 표면에 접해 있을 때에만 쓰인다.

Answers - p.35

Check-up 1 다음 괄호 안에서 가장 알맞은 것을 고르시오.

1 Paul is (in / on) Seoul.
2 She is (at / on) the bus stop.
3 Brian is (in / on) the bus.
4 There's a lamp (at / on) the ceiling.
5 Turn left (on / at) the corner.
6 He is sleeping (in / on) his room.

Voca
bus stop 버스 정류장
lamp 등
ceiling 천장
turn 돌다

Check-up 2 다음 우리말의 밑줄 친 부분에 유의하여 보기에서 적절한 말을 골라 문장을 완성하시오.

보기	in front of	next to	between	under

1 한 남자가 나무 아래에서 자고 있다.
→ A man is sleeping ________________ the tree.
2 우체통이 집 앞에 있다.
→ There's a post box ________________ the house.
3 나는 전봇대 옆에 있다.
→ I am ________________ the telephone pole.
4 저 두 집 사이에 울타리가 있다.
→ There's a fence ________________ the two houses.

STEP 1 다음 빈칸에 in, at, on 중 알맞은 전치사를 쓰시오.

1 미국에 있는 → ______ America
2 문가에 있는 → ______ the door
3 천장에 붙은 → ______ the ceiling
4 공항에 있는 → ______ the airport
5 주머니 안에 → ______ a pocket
6 바닥 위에 → ______ the floor
7 방 안에 → ______ the room
8 학교 수업 중인 → ______ school
9 마당에서 → ______ the yard
10 테이블에 앉은 → ______ the table
11 배를 탄 → ______ a ship
12 자가용을 타고 → ______ a car

STEP 2 다음 우리말과 일치하도록 보기에서 주어진 말을 골라 문장을 완성하시오. (단, 한 번씩만 쓸 것)

보기	over	under	behind	between	next to	in front of

1 지렁이가 화분 밑에 있다. → A worm is ______ the pot.
2 그들은 연못 위에 다리를 지었다. → They built a bridge ______ the pond.
3 그녀가 그 남자 앞에 서 있다. → She is standing ______ the man.
4 차 뒤에 고양이가 있다. → There's a cat ______ a car.
5 나는 그의 옆에 앉았다. → I sat ______ him.
6 그 탑은 두 강 사이에 있다. → The tower is ______ the two rivers.

STEP 3 다음 그림을 보고 보기에서 주어진 말을 골라 문장을 완성하시오. (단, 한 번씩만 쓸 것)

보기	on	over	next to	at	behind	under

1 A girl is studying ______ her desk.
2 There's a bed ______ the girl.
3 There's a box ______ the bed.
4 There's a cat ______ the bed.
5 A clock is hanging ______ the wall.
6 There's a bookshelf ______ the bed.

Voca
hang 걸려 있다
bookshelf 책꽂이, 책장

STEP 4 다음 우리말과 같은 뜻이 되도록 주어진 단어를 배열하여 문장을 완성하시오.

Voca
roof 지붕
park 주차하다
wall 벽

1 새 한 마리가 지붕 위에 있다. (is, a bird, the roof, on)

→ ______________________________

2 몇몇 사람들이 나무 아래에 앉아 있다. (under, are sitting, the big tree, some people)

→ ______________________________

3 우리 앞에 큰 구덩이가 있었다. (there, us, was, in front of, a big hole)

→ ______________________________

4 나는 테이블에 앉아 있다. (the table, I'm, at, sitting)

→ ______________________________

5 그는 벽 옆에 그의 차를 주차했다. (next to, he, his car, parked, the wall)

→ ______________________________

6 John은 담 너머로 공을 던졌다. (over, John, a ball, threw, the wall)

→ ______________________________

STEP 5 다음 우리말과 같은 뜻이 되도록 주어진 말을 이용하여 문장을 완성하시오. (단, 현재시제로 쓸 것)

1 그는 파티에 참석하고 있다. (be, the party)

→ ______________________________

2 그녀는 기차를 타고 있다. (be, the train)

→ ______________________________

3 한 가게가 은행과 빵집 사이에 있다. (a store, the bank, the bakery)

→ ______________________________

4 그 책들은 내 가방 안에 있다. (the books, my backpack)

→ ______________________________

5 저 피아노 뒤에 있는 소년은 누구니? (who, the boy, the piano)

→ ______________________________

6 벽에 걸린 그림이 아름답다. (the picture, the wall, beautiful)

→ ______________________________

Unit 02 방향을 나타내는 전치사

❶ up / down / into / out of

up ~ 위로	down ~ 아래로	into ~ 안으로	out of ~ 밖으로

- He is going up[down] the stairs. 그는 계단을 올라가고[내려가고] 있다.
- She went into[out of] the room. 그녀는 방에 들어갔다[나갔다].

❷ from / to

from ~로부터(출발점)	to ~로(도착 지점)	from A to B A부터 B까지

- She went from New York to L.A. 그녀는 뉴욕에서 L.A.로 갔다.

❸ along / across (from) / around / through

along ~을 따라	across ~을 가로질러	across from ~의 건너편에
around ~ 주위로	through ~을 통과하여	

- He went along[across] the road. 그는 길을 따라서[가로질러] 갔다.
- The train goes through a tunnel. 그 기차는 터널을 통과한다.
- The drug store is across from the bank. 약국은 은행 건너편에 있다.

Tips

* '~에 도착하다'

get to + 모든 장소
arrive in + 나라 · 도시명
arrive at + 특정 지점

I **got to** London.
나는 런던에 도착했다.
I **got to** the airport.
나는 공항에 도착했다.
I **arrived in** London.
나는 런던에 도착했다.
I **arrived at** the airport.
나는 공항에 도착했다.
(X) I arrived ~~to~~ London.
(X) I arrived ~~to~~ the airport.

Answers - p.36

Check-up 1 다음 밑줄 친 부분에 유의하여 각 문장의 가장 알맞은 의미를 고르시오.

Voca
forest
숲

1. a. She went up the mountain. • • 그녀는 산 아래로 내려갔다.
   b. She went down the mountain. • • 그녀는 산 위로 올라갔다.
2. a. I was walking along the street. • • 나는 길을 따라서 걷고 있었다.
   b. I was walking across the street. • • 나는 길을 건너서 걷고 있었다.
3. a. We drove around the forest. • • 우리는 운전해서 숲속을 통과했다.
   b. We drove through the forest. • • 우리는 차를 타고 숲 주변을 돌았다.

Check-up 2 다음 빈칸에 to, in, at 중 알맞은 전치사를 쓰시오.

1. He arrived ________ Seoul.
2. She arrived ________ the meeting.
3. He moved from Japan ________ Korea.
4. They got ________ the concert hall.

STEP 1 다음 우리말과 일치하도록 보기에서 알맞은 말을 골라 빈칸을 완성하시오. (단, 한 번씩만 쓸 것)

보기	up	down	into	out of	from	to

1 산 위로 → ______ the mountain
2 길 아래로 → ______ the path
3 구멍 안으로 → ______ the hole
4 우리 밖으로 → ______ the cage
5 서울로부터 → ______ Seoul
6 부산으로 → ______ Busan

STEP 2 다음 우리말과 같은 뜻이 되도록 주어진 단어를 배열하여 문장을 완성하시오.

1 그녀는 머리부터 발끝까지 흰색으로 차려입었다. (from head, dressed, she, in white, to toe)

→ ______

2 그는 걸어서 출입구를 통과했다. (the doorway, he, through, walked)

→ ______

3 나는 벽을 따라 의자들을 놓았다. (I, along, the chairs, put, the wall)

→ ______

4 식당은 학교 건너편에 있다. (across from, is, the restaurant, the school)

→ ______

STEP 3 다음 우리말과 같은 뜻이 되도록 주어진 말을 이용하여 문장을 완성하시오. (단, 과거시제로 쓸 것)

1 그녀는 계단을 걸어 내려갔다. (walk, the steps)

→ ______

2 나는 아기의 몸을 담요로 감쌌다. (wrap, the blanket, the baby)

→ ______

3 그녀는 5월 5일에 미국에 도착했다. (arrive, America, on May 5th)

→ ______

4 잠수부는 배 밖으로 뛰어내렸다. (the diver, jump, the boat)

→ ______

Voca
steps 계단
wrap 감싸다
diver 잠수부

Unit 03 시간을 나타내는 전치사

❶ in / at / on / for / during / until / by

in	~에	세기, 년, 월, 계절, 하루의 때	in 2010	in May	in fall	in the evening
at		구체적인 시각, 특정 시점	at 7	at noon	at night	at lunchtime
on		요일, 날짜, 특정한 날	on Monday		on May 1st	on my birthday
for	~ 동안	숫자 표현과 함께 쓰인 기간 앞	for two hours		for a week	for many days
during		특정 기간을 나타내는 명사 앞	during the class		during the vacation	
until	~까지	계속된 동작이 끝나는 시점	He waited until 7. 그는 7시까지 기다렸다.			
by		일회성 동작이 끝나는 시점	I'll be back by noon. 나는 정오까지 돌아올게.			

❷ before / after / around / from

before ~전에	after ~ 후에
around ~ 무렵(대략적 시점)	from ~로부터(시작 시점)

· Don't eat snacks before meals. 식사 전에 간식을 먹지 마라.
· We have breakfast around seven. 우리는 7시경에 아침을 먹는다.

Tips
in the morning 아침에
on Monday morning 월요일 아침에
at Christmas 크리스마스 시즌에
on Christmas Day 크리스마스 날에
at Easter 부활절 주간에
on Easter Day 부활절에

Answers - p.37

Check-up 1 다음 괄호 안에서 알맞은 전치사를 고르시오.

1 (at / in) night
2 (at / on) one o'clock
3 (at / on) Easter Day
4 (in / on) 2002
5 (at / in) lunchtime
6 (in / at) spring
7 (in / on) the 21st century
8 (in / on) Friday evening
9 (during / for) many years
10 (during / for) the break

Voca
Easter Day 부활절에
spring 봄
century 세기, 100년

Check-up 2 다음 우리말의 밑줄 친 부분에 유의하여 보기에서 적절한 말을 골라 문장을 완성하시오.

보기	before	after	around	from

1 점심 전에 돌아와야 한다. → You should be back ________ lunch.
2 방과 후에 축구를 했니? → Did you play soccer ________ school?
3 삼촌은 7시 30분경에 출근한다. → My uncle leaves for work ________ 7:30.
4 나는 2시부터 수업이 있다. → I have classes ________ 2.

STEP 1 다음 빈칸에 in, at, on 중 알맞은 전치사를 넣어 문장을 완성하시오.

1 Let's meet ________ 3 o'clock.

2 Where were you ________ lunchtime?

3 My kids eat lunch ________ noon.

4 See you ________ Christmas.

5 The festival starts ________ Friday.

6 The concert is ________ March 1st.

7 You have a test ________ Friday morning.

8 The class begins ________ May.

9 I had a shower ________ the morning.

10 We have snow ________ winter.

Voca
festival 축제
begin 시작하다
have a shower 샤워를 하다

STEP 2 다음 보기에서 알맞은 전치사를 골라 문장을 완성하시오.

보기	[1~3] for	during	[4~6] until	by

1 They took a nap ____________ 30 minutes.

2 Don't talk ____________ the exam.

3 What did you do ____________ the vacation?

4 I can finish the work ____________ tomorrow.

5 She lived in Japan ____________ 2016.

6 Please return the book ____________ Saturday.

Voca
take a nap 낮잠을 자다
vacation 방학
return 반납하다

STEP 3 다음 우리말과 일치하도록 보기와 괄호 안에 주어진 말을 이용하여 문장을 완성하시오.

보기	before	after	around	from

1 나는 정오 전에 점심을 먹었다. (noon)

→ I ate lunch ________________________.

2 우리는 방과 후에 도서관에 갔다. (school)

→ We went to the library ________________________.

3 2시쯤 나를 찾아와 줘. (two o'clock)

→ Please visit me ________________________.

4 우리 부모님은 월요일부터 금요일까지 출근하신다. (Monday)

→ My parents go to work ________________________ to Friday.

STEP 4 다음 우리말과 같은 뜻이 되도록 주어진 단어를 배열하여 문장을 완성하시오.

1 그녀는 2010년에 태어났다. (in, was, she, 2010, born)

→ ______________________________

2 저희는 금요일까지 귀하의 책을 배송할 것입니다. (will deliver, by, your book, we, Friday)

→ ______________________________

3 그는 두 시간 동안 TV를 시청했다. (for, he, TV, watched, two hours)

→ ______________________________

4 우리는 저녁 식사 후 산책을 했다. (after, took a walk, we, dinner)

→ ______________________________

5 당신은 1월 1일에 무엇을 했나요? (on, you, did, what, do, January 1st)

→ ______________________________

6 영화 시작 전에 간식을 좀 먹자. (before, eat, let's, some snacks, the movie.)

→ ______________________________

Voca
be born 태어나다
deliver 배달하다
take a walk 산책하다

STEP 5 다음 우리말과 같은 뜻이 되도록 주어진 말과 전치사를 이용하여 문장을 완성하시오.

1 그녀는 여름에 자주 수영하러 간다. (often, go swimming, summer)

→ ______________________________

2 나는 항상 정오에 점심을 먹는다. (always, eat, lunch, noon)

→ ______________________________

3 그는 매일 30분 동안 운동을 한다. (work out, 30 minutes, every day)

→ ______________________________

4 수업 중에 전화기는 사용하지 마세요. (not, use, your phone, class)

→ ______________________________

5 4시쯤에 버스 정류장에서 만나자. (let, meet, the bus stop, four)

→ ______________________________

6 그 표는 다음 주까지 할인을 한다. (the tickets, be on sale, next week)

→ ______________________________

Voca
go swimming 수영하러 가다
work out 운동하다
use 사용하다
on sale 할인 중인

Unit 04 기타 주요 전치사

with / without / about / like / by

about	~에 대해	He talked about music. 그는 음악에 대해 이야기했다.
like	~같은, ~처럼	He wants to fly high like a bird. 그는 새처럼 하늘 높이 날고 싶어 한다.
by	~을 타고 (교통 수단)	I go to school by bus. 나는 버스를 타고 등교한다.
with	~와 함께 ~을 가지고	Can I come with you? 내가 너와 함께 가도 될까? Cut the meat with a knife. 칼로 고기를 썰어라.
without	~ 없이	I can't see anything without glasses. 나는 안경 없이 아무것도 볼 수 없다.

Tips

교통수단을 나타낼 때 in, on 뒤의 명사는 한정사(a, an, the, my …)가 나오지만, by는 한정사 없이 쓰인다.

He went there **in** a taxi.
= He went there **by** taxi.
그는 거기에 택시를 타고 갔다.

Tips

***on foot**: 걸어서
I go to school **on foot**.
나는 걸어서 등교한다.

Answers - p.38

Check-up 1 다음 우리말과 일치하도록 다음 괄호 안에서 가장 알맞은 것을 고르시오.

1 우리 그 책에 대해 이야기하자. → Let's talk (about / like) the book.

2 이 로션은 장미 냄새가 난다. → This lotion smells (about / like) roses.

3 그는 자주 버스를 타고 이동한다. → He often travels (by / with) bus.

4 그들은 걸어서 교회에 간다. → They go to church (by / on) foot.

5 그는 늘 포크로 먹는다. → He always eats (with / without) a fork.

6 우리는 물 없이 살 수 없다. → We can't live (by / without) water.

Voca

lotion 로션
travel 이동하다
church 교회
without ~ 없이

Check-up 2 다음 밑줄 친 부분에 유의하여 보기에서 적절한 말을 골라 문장을 완성하시오. (단, 한 번씩만 쓸 것)

보기	with	without	about	like	by	in

1 나는 그것에 대해 질문이 있다. → I have a question ______________ it.

2 어린애처럼 굴지 마라! → Stop acting ______________ a child!

3 나는 비행기를 타고 이동했다. → I traveled ______________ plane.

4 그는 차를 타고 출근한다. → He goes to work ______________ his car.

5 내가 너와 함께 가도 되겠니? → Can I go ______________ you?

6 그는 설탕 없이 커피를 마셨다. → He drank coffee ______________ sugar.

STEP 1 다음 우리말과 같은 뜻이 되도록 괄호에 주어진 말을 이용하여 문장을 완성하시오.

1 나는 영화에 관한 책을 빌렸다. (movies)

→ I borrowed a book ______________________.

2 그 배우는 배트맨처럼 차려입었다. (Batman)

→ The actor dressed ______________________.

3 그녀는 아버지처럼 의사이다. (her father)

→ She is a doctor ______________________.

4 그는 게와 같은 해산물을 매우 좋아한다. (crabs)

→ He loves seafood ______________________.

5 우리는 그 나라에 대해 아는 것이 아무것도 없다. (the country)

→ We don't know anything ______________________.

Voca

dress 옷을 입다

seafood 해산물

crab 게

STEP 2 다음 우리말과 같은 뜻이 되도록 보기와 괄호에 주어진 말을 이용하여 문장을 완성하시오. (단, 중복 불가)

보기	without	with	in	by	on	like

1 Mark는 저 빨강 머리 소녀를 좋아한다. (red hair)

→ Mark likes that girl ______________________.

2 나는 차 없는 세상은 상상할 수 없다. (cars)

→ I can't imagine life ______________________.

3 그녀는 천사와 같다. (an angel)

→ She is ______________________.

4 그녀는 자전거를 타고 등교한다. (bicycle)

→ She goes to school ______________________.

5 우리는 배를 타고 독도에 갔다. (a ship)

→ We went to Dokdo ______________________.

6 그들은 차를 타고 인천으로 갔다. (a car)

→ They went to Incheon ______________________.

STEP 3 다음 우리말과 같은 뜻이 되도록 주어진 단어를 배열하여 문장을 완성하시오.

Voca
chopsticks 젓가락
wallet 지갑

1 나는 비행기를 타고 중국에 갔다. (to, went, I, China, by airplane)

→ ____________________

2 그는 젓가락으로 국수를 먹었다. (ate, he, with, noodles, chopsticks)

→ ____________________

3 나는 바다 동물에 대한 책을 읽었다. (about, I, a book, read, sea animals)

→ ____________________

4 그녀는 조부모님과 함께 산다. (her, she, grandparents, with, lives)

→ ____________________

5 우리 이모는 걸어서 출근한다. (work, goes, to, on, my aunt, foot)

→ ____________________

6 지갑 없이 집을 나서지 마라. (without, leave, home, don't, your wallet)

→ ____________________

STEP 4 다음 우리말과 같은 뜻이 되도록 주어진 말을 이용하여 문장을 완성하시오.

Voca
go on a trip 여행을 가다
curious 호기심이 많은

1 너는 언니처럼 생기지 않았다. (be, not, your sister)

→ ____________________

2 나는 가족과 함께 자주 여행을 간다. (often, go on a trip, my family)

→ ____________________

3 우리는 컴퓨터로 많은 것들을 할 수 있다. (do, lots of things, computers)

→ ____________________

4 그는 주로 김치 없이 저녁을 먹는다. (usually, eat dinner, kimchi)

→ ____________________

5 그 아이는 동물에 대해 호기심이 있다. (the kid, curious, animals)

→ ____________________

6 그녀는 기차를 타고 조부모님 댁에 간다. (go to her grandparents' house, train)

→ ____________________

도전! 만점! 중등 내신 단답형 & 서술형

Answers - p.39

[1-4] 다음 문장에 공통으로 들어갈 전치사를 쓰시오.

1
- Mike lives ________ a small town.
- They got married ________ 2015.
- I arrived ________ Seoul.

→ ________

2
- She arrived ________ the airport.
- We go shopping ________ Christmas.
- He ate lunch ________ noon.

→ ________

3
- The clock is ________ the wall.
- Dan is ________ the plane.
- I got a call from Mike ________ Friday evening.

→ ________

4
- He wants to travel ________ the world.
- She is wearing a scarf ________ her neck.
- I'll call you ________ 3 o'clock.

→ ________

5 다음 그림을 보고 각 빈칸에 적절한 전치사를 쓰시오.

- There's a rainbow ________ the bridge.
- A boat is passing ________ the bridge.

[6-10] 다음 문장에서 어법에 맞지 않는 부분을 찾아 고쳐 쓰시오.

6 They stayed in Busan during 3 months.

________ → ________

7 The audience suddenly left for the play.

________ → ________

8 I'll stay here by next month.

________ → ________

9 We should finish our homework until tomorrow.

________ → ________

10 Tom had dinner with they.

________ → ________

[11-13] 다음 우리말과 같은 뜻이 되도록 괄호에 주어진 말을 이용하여 문장을 완성하시오.

조건 1. 적절한 전치사를 쓸 것
2. 주어와 동사를 갖춘 완전한 문장으로 쓸 것

11 그는 버스로 등교한다.
(go, school, bus)

→ ________

12 우리 아버지는 설탕이 없는 커피를 좋아하신다.
(my father, like, coffee, sugar)

→ ______________________________

13 제과점과 은행 사이에 신발 가게가 있다.
(there, a shoe store, the bakery, the bank)

→ ______________________________

[14-17] 다음 우리말과 같은 뜻이 되도록 주어진 단어를 배열하여 문장을 완성하시오.

14 그는 그 책을 가방에 넣었다.
(into, he, the backpack, the book, put)

→ ______________________________

15 그 열쇠는 내 호주머니에서 빠져서 떨어졌다.
(fell, the key, my pocket, out of)

→ ______________________________

16 그는 숲속을 통과해서 걸어갔다.
(the forest, he, through, walked)

→ ______________________________

17 그 소년은 호수를 가로질러 헤엄쳤다.
(across, swam, the boy, the lake)

→ ______________________________

[18-20] 다음 그림을 참고하여 보기와 괄호에 주어진 말을 이용하여 영작하시오.

보기	in front of	next to	behind

18 (there, four people, a house)

→ ______________________________

19 (a dog, be, the little boy)

→ ______________________________

20 (a tall boy, be, the dog)

→ ______________________________

Chapter 12

접속사

Unit 01 등위접속사 and, or, but

등위접속사는 문법적으로 대등한 역할을 하는 단어, 구, 절 등을 연결하는 말로, and, or, but, so 등이 있다.

and	그리고, 그래서	Tim and I are very close. Tim과 나는 매우 친하다.
or	또는, 아니면	You can stay at a hotel or at my house. 너는 호텔이나 우리 집에 머무를 수 있다.
but	그러나	He has two pets, but I don't have any pets. 그는 애완동물이 2마리 있지만, 나는 하나도 없다.

Tips

셋 이상의 단어, 구, 절을 나열할 때는 쉼표(,)로 연결하고 마지막 것 앞에만 접속사를 쓴다.

He is tall, handsome(,) **and** kind.
그는 키가 크고 잘 생겼고, 친절하다.

Answers - p.40

Check-up 1 다음 보기와 같이 밑줄 친 접속사가 연결하는 부분에 동그라미 하시오.

보기 Are you American or British?

1 I want a hamburger and some cola.

2 You can go there by bus, by subway, or on foot.

3 She is young but wise.

4 Visit the website, and you'll get a coupon.

5 I failed the test, but I'll try it again.

Voca

British 영국(인)의
wise 현명한
coupon 쿠폰, 할인권
fail 떨어지다, 낙제하다

Check-up 2 다음 우리말과 일치하도록 빈칸에 and, or, but 중 알맞은 접속사를 쓰시오.

1 그는 금발머리와 갈색 눈을 가지고 있다.
→ He has blond hair ______________ brown eyes.

2 나는 TV를 보았고, 아버지는 독서를 하셨다.
→ I watched TV, ______________ my father read a book.

3 당신은 중국인인가요, 아니면 일본인인가요?
→ Are you Chinese ______________ Japanese?

4 너는 낮잠을 자거나 밖에서 놀 수 있어.
→ You can take a nap ______________ play outside.

5 그 커플은 부자이지만, 구두쇠이다.
→ The couple is very rich ______________ stingy.

STEP 1 다음 주어진 말과 and, or, but을 이용하여 문장을 완성하시오.

1 Peter와 나는 점심을 먹은 뒤 산책을 했다. (Peter, I)

→ ______ ______ ______ took a walk after lunch.

2 그것은 고양이니 개니? (a cat, a dog)

→ Is it ______ ______ ______ ______ ______?

3 그는 영어, 한국어, 일본어를 말할 수 있다. (English, Korean, Japanese)

→ He can speak ______, ______, ______ ______.

4 이 외투는 매우 좋지만 너무 비싸다. (very nice, too expensive)

→ This jacket is ______ ______ ______ ______ ______.

STEP 2 다음 빈칸에 and, or, but 중 알맞은 것을 쓰시오.

1 Brian ______ I went to the same school.

2 We should leave today ______ tomorrow.

3 He met Jane ______ watched a movie with her.

4 I went to the mall ______ didn't buy anything.

Voca
leave 떠나다
mall 쇼핑몰
anything 아무것도

STEP 3 다음 주어진 두 문장을 한 문장으로 연결할 때, 빈칸에 알맞은 말을 쓰시오.

1 He has a sister. He has two brothers.

→ He has ______ ______ and ______ ______.

2 The book may be on the table. The book may be in the bag.

→ The book may be ______ ______ ______ or ______ ______ ______.

3 The soup looks good. It tastes too salty.

→ The soup ______ ______ but ______ ______ ______.

4 We had dinner. We saw a movie.

→ We ______ ______ and ______ ______ ______.

Voca
may ~일지도 모른다
salty 짭짤한

STEP 4 다음 우리말과 같은 뜻이 되도록 주어진 단어를 배열하여 문장을 완성하시오.

Voca

pay 지불하다

credit card 신용 카드

cash 현금

weak 약한

1 그녀는 키 크고, 귀엽고 똑똑하다. (cute, is, smart, she, tall, and)

→ ______________________________

2 너는 초콜릿을 원하니, 쿠키를 원하니? (chocolate, do, or, want, you, cookies)

→ ______________________________

3 당신은 신용 카드나 현금으로 지불할 수 있습니다. (or, you, in cash, pay, by credit card, can)

→ ______________________________

4 그들은 게임을 하고 저녁을 먹었다. (and, they, games, played, had, dinner)

→ ______________________________

5 그는 약해 보이지만 매우 힘이 세다. (he, weak, is, but, looks, he, very strong)

→ ______________________________

6 나는 친구를 만나서 그와 서점에 갔다. (went, I, a friend of mine, with him, met, and, to a bookstore)

→ ______________________________

STEP 5 다음 우리말과 같은 뜻이 되도록 주어진 말을 이용하여 문장을 완성하시오.

1 당신은 밖에 나가거나 집에 머물 수 있다. (can, go out, stay at home)

→ ______________________________

2 당신은 축구를 좋아하나요, 야구를 좋아하나요? (like, soccer, baseball)

→ ______________________________

3 Mike, Peter, Susie는 여기서 점심을 먹는 중이다. (be eating lunch, here)

→ ______________________________

4 그녀는 노래하기를 좋아하지만, 춤추는 것은 좋아하지 않는다. (like singing, not, like dancing)

→ ______________________________

5 Sam은 TV를 보고 있고, Dana는 잠을 자고 있다. (be watching TV, be sleeping)

→ ______________________________

Unit 02 명령문, and[or] ~

「명령문, and ~」, 「명령문, or ~」는 if절을 써서 나타낼 수 있다.

명령문, and~	~해라, 그러면 ~할 것이다	Hurry up, and you'll arrive in time. 서둘러라. 그러면 시간 안에 도착할 것이다. = If you hurry up, you'll arrive in time.
명령문, or ~	~해라, 그렇지 않으면 ~할 것이다	Hurry up, or you'll be late. 서둘러라. 그렇지 않으면 늦을 것이다. = If you don't hurry up, you'll be late. = Unless you hurry up, you'll be late.
부정명령문, or	~하지 마라. 그렇지 않으면 ~할 것이다	Don't be late, or you'll miss the bus. 늦지 마라. 그렇지 않으면 버스를 놓칠 것이다. = If you are late, you'll miss the bus.

Answers - p.41

Check-up 1 다음 우리말과 일치하도록 빈칸에 and나 or 중 알맞은 것을 쓰시오.

1 일찍 일어나라, 그러면 해돋이를 볼 수 있을 것이다.

→ Get up early, ______________ you can see the sunrise.

2 저희 웹 사이트를 방문하시면 더 많은 정보를 얻을 수 있습니다.

→ Visit our website, ______________ you will get more information.

3 자외선 차단 크림을 발라라, 그렇지 않으면 피부가 탈 것이다.

→ Use sunblock, ______________ you'll have sunburn.

4 늦지 마라. 안 그러면 쇼를 놓칠 것이다.

→ Don't be late, ______________ you will miss the show.

Voca
sunrise 해돋이
information 정보
sunburn 햇볕으로 인한 화상
miss 놓치다

Check-up 2 다음 두 문장이 같은 뜻이 되도록 if나 unless를 넣어 문장을 완성하시오.

1 Take a nap, and you'll feel better.

= ______________ you take a nap, you'll feel better.

2 Do your best, or you'll regret it.

= ______________ you don't do your best, you'll regret it.

3 Have a good rest, or you'll feel tired.

= ______________ you have a good rest, you'll feel tired.

Voca
take a nap 잠깐[낮잠을] 자다
do one's best 최선을 다하다
regret 후회하다

STEP 1 다음 빈칸에 and나 or 중 알맞은 것을 넣어 문장을 완성하시오.

1 Try this cake, ______________ you'll love it.

2 Call him, ______________ he'll tell you surprising news.

3 Speak loudly enough, ______________ I can't hear you.

4 Do not eat too much, ______________ you'll feel sleepy later.

Voca
surprising 놀라운
loudly 큰 소리로
sleepy 졸린
later 나중에

STEP 2 다음 짝지어진 문장이 의미가 통하도록 빈칸을 채우시오.

1 Eat an apple a day, and you will stay healthy.

= If ______________________________, you will stay healthy.

2 Do not drink too much coffee, or you can't get enough sleep at night.

= If ______________________________, you can't get enough sleep at night.

3 Apologize to me first, or I will not forgive you.

= If ______________________________, I will not forgive you.

= Unless ______________________________, I will not forgive you.

4 Speak loudly, or they can't hear you.

= If ______________________________, they can't hear you.

= Unless ______________________________, they can't hear you.

Voca
stay healthy 건강을 유지하다
apologize 사과하다
forgive 용서하다

STEP 3 다음 문장을 주어진 조건에 맞게 다시 쓰시오.

조건	1~2번은 명령문을 이용하고, 3~4번은 if나 unless를 이용해서 고칠 것

1 If you eat more vegetables, your health will improve.

→ ______________________________

2 If you stay up too late, you will be tired tomorrow.

→ ______________________________

3 Check for viruses every day, and your PC will be safe.

→ ______________________________

4 Drink milk, or your bones will become weak.

→ ______________________________

Voca
improve 향상하다
check 점검하다
become ~이 되다
weak 약한

STEP 4 다음 우리말과 같은 뜻이 되도록 괄호에 주어진 단어를 배열하여 문장을 완성하시오.

1 오른쪽으로 돌아라, 그러면 지하철역이 보일 것이다.
(see, turn right, you'll, and, the subway station)

→ ______________________________

2 많은 책을 읽어라, 그렇지 않으면 어휘력이 늘지 않을 것이다.
(read, or, many books, will not, your vocabulary, improve)

→ ______________________________

3 더러운 손으로 눈을 문지르면, 눈병이 걸릴 것이다.
(if, you, you'll, with dirty hands, rub your eyes, get, eye diseases)

→ ______________________________

4 건강에 좋은 음식을 먹지 않으면, 쉽게 감기에 걸릴 것이다.
(if, catch a cold, you, healthy food, don't eat, you'll, easily)

→ ______________________________

5 당신이 그를 돕지 않으면, 그는 곤란에 처할 것이다.
(you, unless, him, help, get, he'll, in trouble)

→ ______________________________

Voca
vocabulary 어휘(력)
rub 문지르다
disease 질병, 질환
catch a cold 감기에 걸리다
get in trouble 곤란에 처하다

STEP 5 다음 우리말과 같은 뜻이 되도록 주어진 말을 이용하여 문장을 완성하시오.

1 어두운 곳에서 독서하지 마라, 그렇지 않으면 눈이 나빠질 것이다.
(read, in the dark, get, eye problems)

→ ______________________________

2 그 웹 사이트에 방문하면, 당신은 유용한 정보를 찾을 수 있을 것이다.
(if, visit, the website, find, useful)

→ ______________________________

3 지금 병원에 가지 않으면 당신의 독감이 더 나빠질 것이다.
(unless, see, a doctor, your flu, become worse)

→ ______________________________

4 물을 아껴라, 그렇지 않으면 당신은 돈을 더 지불해야 할 것이다.
(save water, have to, pay more)

→ ______________________________

5 당신이 규칙을 지키지 않으면, 그들은 당신의 어머니에게 전화할 것이다.
(if, follow the rules, call your mother)

→ ______________________________

Voca
problem 문제
information 정보
worse 더 나쁜
follow 지키다, 따르다
rule 규칙

Unit 03 종속접속사 when, after, before

종속접속사는 주절과 종속절을 연결하는 접속사로, 주절의 내용을 보충하는 역할을 한다. 종속접속사가 이끄는 절은 주절의 앞이나 뒤에 올 수 있다. when, after, before 등은 시간을 나타낸다.

when ~할 때	When I was young, I had many dreams. 나는 어렸을 때 많은 꿈을 가지고 있었다. I'll call you when I arrive. 내가 도착하면 전화할게.
after ~한 후에	I went to bed after I finished my homework. 나는 숙제를 끝마치고 난 후에 잠자리에 들었다.
before ~하기 전에	Before you go shopping, make a shopping list. 쇼핑을 가기 전에 쇼핑 목록을 만들어라.

Tips
시간을 나타내는 부사절은 미래의 의미라 하더라도, 현재시제를 써야 한다.
(X) I'll call you **when** I ~~will~~ arrive.

Answers - p.42

Check-up 다음 우리말과 일치하도록 괄호 안에서 알맞은 것을 고르시오.

1 내가 문을 열었을 때, 그는 신문을 읽고 있었다.

→ (After / When / Before) I opened the door, he was reading a newspaper.

2 그가 시내에 갔을 때 그는 옛날 친구를 만났다.

→ (After / When / Before) he went downtown, he met an old friend.

3 저녁을 먹은 후 나는 설거지를 했다.

→ (After / When / Before) I had dinner, I washed the dishes.

4 그가 DVD를 보고 난 후, 나는 그것을 빌렸다.

→ (After / When / Before) he watched the DVD, I borrowed it.

5 잠들기 전에 양치질해라.

→ Brush your teeth (after / when / before) you go to bed.

6 나는 엄마가 집에 오시기 전에 내 방을 청소했다.

→ I cleaned my room (after / when / before) Mom came home.

7 외출하기 전에 창문을 닫아라.

→ Close the window (after / when / before) you go out.

Voca
go downtown 시내로 나가다
borrow 빌리다
brush one's teeth 양치질하다

STEP 1 다음 우리말과 일치하도록 보기에서 알맞은 말을 골라 문장을 완성하시오.

보기	when	after	before

1 그 배우는 인기가 있었을 때 많은 돈을 벌었다.

→ The actor made a lot of money ____________ he was popular.

2 당신은 먹기 전에 항상 손을 씻어야 한다.

→ You should always wash your hands ____________ you eat.

3 그녀는 저녁을 먹은 후 과일을 먹었다.

→ She had some fruit ____________ she had dinner.

4 나는 옷을 사기 전에 항상 입어본다.

→ ____________ I buy clothes, I always try them on.

STEP 2 다음 우리말과 같은 뜻이 되도록 주어진 말을 이용하여 문장을 완성하시오.

조건	동사의 시제에 유의할 것

1 그들은 학교가 끝나고 나서 피아노 수업을 듣는다. (finish school)

→ They take piano lessons ____________________.

2 엄마가 시장에 가실 때 음식을 좀 사실 거야. (go to the market)

→ Mom will buy some food ____________________.

3 너는 그녀가 해외로 떠나기 전에 그녀를 만날 거니? (go abroad)

→ Are you going to meet her ____________________?

4 우리는 열차가 떠나기 전에 역에 도착했다. (the train, leave)

→ ____________________, we arrived at the station.

5 나는 샤워를 하고 나서 아침을 먹었다. (take a shower)

→ I had breakfast ____________________.

6 그가 여행에서 돌아왔을 때 매우 피곤했다. (return from the trip)

→ He was very tired ____________________.

Voca

lesson 수업
go abroad 해외로 가다
station 역
take a shower 샤워를 하다
return 돌아오다
trip 여행

STEP 3 다음 우리말과 같은 뜻이 되도록 주어진 단어를 배열하여 문장을 완성하시오.

Voca
exercise 운동하다
get married 결혼하다
move 이사하다

1 나는 운동할 때 음악을 듣는다. (listen to, I, when, exercise, I, music)

→ ______________________________

2 나는 호주에 갔을 때 캥거루를 보았다. (went to, I, kangaroos, saw, I, when, Australia)

→ ______________________________

3 그는 한국에서 살기 전에 한국어를 배웠다. (before, learned, lived, he, he, in Korea, Korean)

→ ______________________________

4 그녀는 잠자리에 들기 전에 머리를 감는다. (goes, she, her hair, washes, she, before, to bed)

→ ______________________________

5 그는 졸업 후에 교사가 되었다. (he, graduated, a teacher, became, he, after)

→ ______________________________

6 그는 결혼하고 나서 뉴욕으로 이사 갔다. (moved, he, after, he, got married, to New York)

→ ______________________________

STEP 4 다음 우리말과 같은 뜻이 되도록 주어진 말을 이용하여 문장을 완성하시오.

조건	1. when, before, after 중 하나를 쓸 것	2. 동사의 시제에 유의할 것

1 그녀는 일본에 있었을 때 후지 산을 보았다. (be, in Japan, see, Mount Fuji)

→ ______________________________

2 나는 미국에 있었을 때 영어 실력을 향상시켰다. (improve, my English, be, in America)

→ ______________________________

3 그는 숙제를 끝내고 저녁을 먹었다. (finish his homework, have dinner)

→ ______________________________

4 당신은 운동하기 전에 몸을 풀어야 한다. (stretch, exercise)

→ ______________________________

5 그들은 영화가 시작되기 전에 팝콘과 콜라를 샀다. (buy popcorn and cola, the movie, start)

→ ______________________________

Unit 04 종속접속사 if, because, so

조건, 이유, 결과의 종속접속사

if + 조건	만일 ~라면	If you don't get up early, you'll miss the train. 일찍 일어나지 않으면 기차를 놓칠 것이다. (= Unless you get up early, you'll miss the train.)
because + 원인 / 이유	~때문에	I closed the window because it was cold. 나는 추웠기 때문에 창문을 닫았다.
so + 결과	그래서	It was cold, so I closed the window. 날이 추웠다. 그래서 나는 창문을 닫았다. (X) So I closed the window, it was cold.

Tips

조건절이 미래를 의미할 때 현재 시제를 쓴다.

(O) If you get up early, you will catch the train.

(X) If you ~~will get up~~ early, you will catch the train.

네가 일찍 일어나면 기차를 탈 수 있을 것이다.

Answers - p.43

Check-up 1 다음 괄호 안에서 가장 알맞은 것을 고르시오.

1 (If / Unless) we work together, we can finish the task early.

2 Raise your hands (if / unless) you have any questions.

3 (If / Unless) he arrives on time, he will miss the bus.

4 The girl won't go to sleep (if / unless) you read her a story.

5 If it (will snow / snows) tomorrow, I will take the subway.

6 Unless it (will rain / rains / doesn't rain), they won't cancel the game.

Voca

task 일, 과제

raise 들어올리다

on time 제시간에

cancel 취소하다

Check-up 2 다음 우리말과 일치하도록 because나 so 중 알맞은 것을 쓰시오.

1 그는 부모님에게 선물을 받아서 행복하다.

→ He is happy ______________ he got a gift from his parents.

2 나는 배가 고파서 피자를 시켰다.

→ ______________ I was hungry, I ordered a pizza.

3 그녀는 아파서 학교에 가지 못했다.

→ She was sick, ______________ she didn't go to school.

4 그는 집에 늦게 들어가서 부모님이 걱정하셨다.

→ He came home late, ______________ his parents were worried.

STEP 1 다음 짝지어진 두 문장이 같은 뜻이 되도록 빈칸에 so나 because를 쓰시오.

1 The man was thirsty, __________ he drank a glass of water.

= The man drank a glass of water __________ he was thirsty.

2 It was cold, __________ she wore warm clothes.

= __________ it was cold, she wore warm clothes.

3 I helped her __________ she needed some help.

= She needed some help, __________ I helped her.

4 He caught a cold, __________ he went to the doctor.

= __________ he caught a cold, he went to the doctor.

Voca
thirsty 목이 마른
a glass of 한 잔의

STEP 2 다음 주어진 두 문장을 so나 because를 이용하여 한 문장으로 완성하시오.

1 He was bored. He went to the movies.

→ He was bored, ______________________________.

2 I'm not wearing my glasses. I can't see things clearly.

→ I'm not wearing my glasses, ______________________________.

3 She was sick. She was absent from school.

→ She was absent from school ______________________________.

4 It was very hot. I opened the window.

→ ______________________________, I opened the window.

Voca
clearly 또렷하게, 분명히
absent from ~에 결석한

STEP 3 다음 우리말과 같은 뜻이 되도록 주어진 단어를 배열하여 문장을 완성하시오.

1 내가 도움이 필요하면 너에게 전화할 게. (need, I, your help, if)

→ I'll call you ______________________________.

2 우산이 없으면 내 것을 함께 쓰자. (have, don't, you, an umbrella, if)

→ ______________________________, you can share mine.

3 지금 배고프지 않으면 먹지 않아도 된다. (hungry, unless, now, are, you)

→ ______________________________, you don't have to eat.

4 실패하고 싶지 않으면, 열심히 연습해야 한다. (want, you, unless, to fail)

→ You have to practice hard ______________________________.

STEP 4 다음 두 개의 문장을 괄호에 주어진 접속사를 이용하여 하나의 문장으로 다시 쓰시오.

1 He didn't have enough money. He couldn't buy the jacket. (so)

→ ______________________________

2 Tom loves music. He wants to be a musician. (so)

→ ______________________________

3 I didn't know his phone number. I couldn't call him. (because)

→ ______________________________

4 They have an important exam tomorrow. They are studying. (because)

→ ______________________________

5 You do your best. You will get a good result. (if)

→ ______________________________

6 I am too busy. I will cancel my appointment. (if)

→ ______________________________

Voca
enough 충분한
musician 음악가
result 결과
appointment 약속

STEP 5 다음 우리말과 같은 뜻이 되도록 주어진 말을 이용하여 문장을 완성하시오.

1 그는 좋은 일을 많이 해서 많은 사람들이 그를 존경한다.
(do, many good things, so, a lot of people, respect)

→ ______________________________

2 그녀는 버스를 놓쳐서 택시를 타야 했다. (miss the bus, so, have to, take a taxi)

→ ______________________________

3 당신은 조언이 필요하면 저를 찾아오시면 됩니다. (can visit, need, advice)

→ ______________________________

4 내일 날씨가 좋으면, 우리는 해변으로 갈 것이다. (it, fine, tomorrow, will, go to the beach)

→ ______________________________

5 하늘이 맑아서 우리는 야외에서 식사를 했다. (because, it, sunny, have a picnic)

→ ______________________________

6 나는 배가 고파서 구내식당에 갔다. (go to the cafeteria, because, hungry)

→ ______________________________

Unit 05 종속접속사 that

종속접속사 that은 '~하는 것'이라는 의미로, 명사절을 이끈다. that절은 목적어로 자주 쓰이는데, think, know, hope, say, believe, hear 등의 동사의 목적어로 자주 쓰인다. 목적어로 쓰인 that절의 접속사는 생략될 수 있다.

- He said (that) he is from Canada. 그는 자신이 캐나다 출신이라고 말했다.
- Did you hear (that) Jessy will be leaving soon? 너는 Jessy가 곧 떠날 거라는 것을 들었니?

Answers - p.45

Check-up 1 다음 밑줄 친 부분에 유의하여 해석을 완성하시오.

1 Everyone knows that Tim is a good singer.

→ 모두가 ______________________________ 안다.

2 I think that he is good at painting.

→ 나는 ______________________________ 생각한다.

3 Did you know that she is a lawyer?

→ 당신은 ______________________________ 알고 있었나요?

4 I hope that everything goes well.

→ 나는 ______________________________ 바란다.

5 Mom said that we could watch the movie.

→ 엄마는 ______________________________ 말했다.

6 He believes that time travel is possible.

→ 그는 ______________________________ 믿는다.

Voca
be good at ~을 잘하다
painting 그림
lawyer 변호사
go well 잘되다
possible 가능한

Check-up 2 다음 주어진 문장에서 that이 들어갈 수 있는 자리에 V표 하시오.

1 People believe Steve is rich.

2 They think she is a good person.

3 I know everyone needs exercise.

4 He hopes he can go on a trip to Europe.

5 She said she liked the movie.

6 We heard David won the contest.

Voca
believe 믿다
exercise 운동하다
hope 바라다, 희망하다
go on a trip 여행을 가다
contest 대회

STEP 1 다음 우리말과 같은 뜻이 되도록 주어진 단어를 배열하여 문장을 완성하시오.

1 그는 혼자서 그 일을 할 수 있다고 믿는다. (can, he, that, do the work, alone)

→ He believes ______________________________.

2 나는 너의 건강이 곧 나아지기를 바란다. (better, that, feeling, you're, soon)

→ I hope ______________________________.

3 그녀는 Tom이 다음 주에 돌아올 것이라는 것을 알고 있다. (be back, Tom, that, will, next week)

→ She knows ______________________________.

4 나는 그녀의 아버지가 캐나다인이라고 들었다. (is, her father, that, Canadian)

→ I hear ______________________________.

5 나는 네가 그것을 할 수 있다고 생각한다. (can, you, that, do, it)

→ I think ______________________________.

Voca
alone
혼자서
Canadian
캐나다(인)의

STEP 2 다음 괄호에 주어진 문장을 이용하여 우리말과 일치하는 문장으로 다시 쓰시오.

조건	1. 보기에 주어진 동사를 쓸 것	2. 주절의 시제는 현재형으로 쓸 것
	3. 접속사 that을 넣어 완전한 문장으로 쓸 것	

1 나는 모두가 건강하길 바란다. (hope, everyone, well)

→ ______________________________

2 우리는 그녀가 가수라는 것을 안다. (know, a singer)

→ ______________________________

3 그녀는 그 영화가 좋다고 생각한다. (think, good)

→ ______________________________

4 그는 자신이 훌륭한 비행기 조종사가 될 수 있다고 믿는다. (believe, can, a great pilot)

→ ______________________________

5 그들은 그가 부산으로 갔다고 말한다. (say, moved, Busan)

→ ______________________________

Voca
well
건강한
pilot
비행기 조종사

STEP 3 다음 우리말과 같은 뜻이 되도록 주어진 말을 이용하여 문장을 완성하시오.

1 나는 네가 옳다고 생각해. (I, are, that, think, you, right)

→ ______________________________

2 그녀는 그것이 쉽지 않다는 것을 알고 있다. (is not, she, it, that, knows, easy)

→ ______________________________

3 나는 그녀가 나를 기억하기를 바란다. (remembers, I, she, that, hope, me)

→ ______________________________

4 그는 자신이 영국에서 왔다고 말했다. (he, he, that, said, is, from England)

→ ______________________________

5 우리는 이 나무가 500살이라는 것을 믿을 수 없다. (is, we, believe, can't, this tree, that, 500 years old)

→ ______________________________

6 그들은 그 일을 그들이 했다고 말하지 않았다. (didn't say, they, they, did, that, the work)

→ ______________________________

Voca
right 옳은
remember 기억하다
believe 믿다

STEP 4 다음 우리말과 같은 뜻이 되도록 주어진 말을 이용하여 문장을 완성하시오.

1 그들은 그가 의사라는 것을 알고 있다. (know, a doctor)

→ ______________________________

2 어떤 사람들은 그녀가 부자라고 말한다. (some people, say, rich)

→ ______________________________

3 나는 그녀가 진실을 알고 있다고 생각한다. (think, know, the truth)

→ ______________________________

4 그는 이 그림이 매우 비싸다고 믿고 있다. (believe, this picture, very expensive)

→ ______________________________

5 당신은 그녀의 아버지가 유명한 배우라는 것을 들었나요? (did, hear, her father, a famous actor)

→ ______________________________

6 우리는 상황이 곧 나아지기를 바란다. (hope, things, will, be better, soon)

→ ______________________________

단답형 & 서술형

Answers - p.46

[1-3] 다음 짝지어진 두 문장의 빈칸에 공통으로 들어갈 말을 쓰시오.

1
- I can't believe ________ she is only 10.
- He says ________ he is from Japan.

→ ________

2
- Which do you like better, meat ________ fish?
- Take an umbrella, ________ you will get wet.

→ ________

3
- I ordered a hamburger ________ French fries.
- Go upstairs, ________ you will see him.

→ ________

[4-5] 다음 우리말과 일치하도록 빈칸에 알맞은 접속사를 쓰시오.

4 그녀는 과일은 좋아하지만, 채소는 좋아하지 않는다.

→ She likes fruit ________ doesn't like vegetables.

5 그녀를 만나면, 이 쪽지 좀 전해 줘.

→ ________ you see her, give her this note.

[6-8] 다음 문장에서 어법에 맞지 않는 부분을 고쳐 쓰시오.

6 You'll be surprised if you will hear the news.

________ → ________

7 I will send you a postcard when I will get there.

________ → ________

8 Unless you don't want to go out, you can stay here.

________ → ________

[9-10] 다음 짝지어진 두 문장이 같은 의미가 되도록 알맞은 말을 쓰시오.

9 We ate pizza, and then we had dessert.

= We had dessert ________ we ate pizza.

10 I wasn't feeling well, so I left school early.

= I left school early ________ I wasn't feeling well.

[11-13] 다음 우리말과 같은 뜻이 되도록 주어진 단어를 배열하여 문장을 완성하시오.

11 그가 나에게 전화했을 때 11시였다.
(it, called, when, 11 o'clock, was, he, me)

→ ________

12 화장실을 이용한 뒤에 손을 씻어라.
(use, your hands, wash, you, after, the bathroom)

→ ______________________________

13 나는 그가 유명한 요리사라는 것을 알고 있다.
(a famous chef, I, is, that, know, he)

→ ______________________________

[14-16] 다음 괄호 안의 말을 이용하여 주어진 문장과 뜻이 같은 문장을 완성하시오.

조건 주어와 동사를 갖춘 완전한 문장으로 쓸 것

14 She finished her homework, and then she went to the movies. (after)

= ______________________________

15 He has breakfast, and then he goes to school. (before)

= ______________________________

16 Help me with this homework, and I'll buy you lunch. (if)

= ______________________________

[17-18] 다음 괄호에 주어진 말을 이용하여 두 문장을 한 문장으로 연결하시오.

17 I was hungry. I ordered a hamburger. (so)

→ ______________________________

18 It's Sunday. The bank is not open. (because)

→ ______________________________

[19-20] 우리말과 같은 뜻이 되도록 조건에 유의하여 괄호에 주어진 말을 이용하여 문장을 완성하시오.

조건
1. 3가지 문장으로 쓰되 각각 if, unless, 명령문 형식을 사용할 것
2. 동사의 시제에 유의할 것
3. 주어와 동사를 갖춘 완전한 문장으로 쓸 것

19 당신은 숙제를 하지 않으면 곤란한 상황에 처할 것이다.
(do your homework, be in trouble)

→ ______________________________

→ ______________________________

→ ______________________________

조건
1. 2가지 문장으로 쓰되 각각 so, because를 각각 사용할 것
2. 동사의 시제에 유의할 것
3. 주어와 동사를 갖춘 완전한 문장으로 쓸 것

20 나는 늦게 일어나서 학교에 지각했다.
(wake up, late, be late for school)

→ ______________________________

→ ______________________________

통문장
암기 훈련
워크북

Chapter 7

Unit 01 형용사

※ 다음 우리말을 주어진 말을 이용하여 조건에 맞춰 영어로 옮기시오.

조건	1. 시제에 유의하여 동사를 알맞게 변형할 것	2. 형용사의 위치에 유의할 것

1 나는 좋은 생각이 있다. (have, good)

→ ______________________________

2 우리는 부지런한 사람이 필요하다. (somebody, diligent)

→ ______________________________

3 이 잡지에는 새로운 것이 하나도 없다. (there, nothing)

→ ______________________________

4 차가운 것을 원하시나요? (would, like, something)

→ ______________________________

5 그림 속의 고래들은 크다. (whale, picture, big)

→ ______________________________

6 그 소년은 키가 크고 날씬하다. (tall, thin)

→ ______________________________

7 당신은 멋져 보인다. (look, great)

→ ______________________________

8 그는 자신의 책상을 깨끗하게 유지한다. (keep, clean)

→ ______________________________

9 나는 그 경기가 지루하다고 생각했다. (find, boring)

→ ______________________________

10 그 소식은 나를 화나게 만들었다. (make, upset)

→ ______________________________

Unit 02 부정수량 형용사

※ 다음 우리말을 주어진 말을 이용하여 조건에 맞춰 영어로 옮기시오.

조건	1. 시제에 유의하여 동사를 알맞게 변형할 것	2. 축약이 가능한 경우, 축약형으로 쓸 것

1 선반에는 책이 많이 있다. (there, many, shelf)

→ ______________________________

2 그는 친구가 많다. (a lot of)

→ ______________________________

3 건물 안에 사람이 거의 없다. (there, few)

→ ______________________________

4 나는 오늘 일이 많지 않다. (much, work)

→ ______________________________

5 어제 눈이 조금 왔다. (we, have, little)

→ ______________________________

6 병에 물이 거의 없다. (there, little)

→ ______________________________

7 나는 채소를 많이 샀다. (a lot of)

→ ______________________________

8 사탕들 좀 먹을래? (would, like)

→ ______________________________

9 당신은 형제가 있나요? (have, any)

→ ______________________________

10 그들은 실수를 조금도 저지르지 않았다. (make, any)

→ ______________________________

Chapter 7

Unit 03 감정형용사

※ 다음 우리말을 주어진 말을 이용하여 조건에 맞춰 영어로 옮기시오.

조건 1. 필요한 경우 -ed나 -ing를 붙여서 어형을 변화시킬 것
2. 시제에 유의하여 동사를 알맞게 변형할 것

1 이 마을에는 흥미로운 역사가 있다. (village, interest)

→ ______________________________

2 비 오는 날씨는 우울하게 만든다. (weather, depress)

→ ______________________________

3 그 빵 냄새는 좋다. (the smell of the bread, please)

→ ______________________________

4 그들의 서비스는 실망스러웠다. (disappoint)

→ ______________________________

5 그 일은 지치게 한다. (exhaust)

→ ______________________________

6 그는 그 캠핑에 대해 매우 들떠 있었다. (very, excite, about)

→ ______________________________

7 겁내지 마. (frighten)

→ ______________________________

8 그는 음악에 흥미가 있다. (interest)

→ ______________________________

9 그녀는 자신의 성적에 기뻐했다. (please, grades)

→ ______________________________

10 그녀는 그 이야기에 감동했다. (touch)

→ ______________________________

부사

※ 다음 우리말을 주어진 말을 이용하여 조건에 맞춰 영어로 옮기시오.

조건	1. 부사의 위치에 유의할 것 3. 시제에 유의하여 동사를 알맞게 변형할 것	2. 필요한 경우, -ly를 붙여 어형을 변화시킬 것

1 그는 빠르게 될 수 있다. (can, fast)

→ ______________________________

2 그 영화는 행복하게 끝났다. (end, happy)

→ ______________________________

3 그 시험은 정말 쉬웠다. (exam, really)

→ ______________________________

4 그 방은 꽤 크다. (big, pretty)

→ ______________________________

5 그는 영어를 매우 유창하게 말한다. (very, fluent)

→ ______________________________

6 갑자기, 누군가 소리쳤다. (sudden, shout)

→ ______________________________

7 그 버스는 너무 늦게 도착했다. (arrive, too)

→ ______________________________

8 그녀는 그 경기를 쉽게 이겼다. (win, easy)

→ ______________________________

9 그는 심각하게 대답했다. (answer, serious)

→ ______________________________

10 나의 부모님은 규칙적으로 운동한다. (exercise, regular)

→ ______________________________

Chapter 7

Unit 05 빈도부사

※ 다음 우리말을 주어진 말을 이용하여 조건에 맞춰 영어로 옮기시오.

조건	1. 빈도부사의 위치에 유의할 것 3. 축약이 가능한 경우, 축약형으로 쓸 것	2. 필요한 경우 알맞은 조동사를 쓸 것

1 나는 늘 검은 재킷을 입는다. (a, jacket)

→ ______________________________

2 우리는 보통 5시에 업무를 마친다. (finish, at 5)

→ ______________________________

3 Jenny는 가끔씩 할머니께 전화를 드린다. (call, grandmother)

→ ______________________________

4 그녀는 늘 협조적이다. (helpful)

→ ______________________________

5 그녀는 가끔 햄버거를 먹는다. (have, hamburger)

→ ______________________________

6 그는 넥타이를 전혀 매지 않는다. (neckties)

→ ______________________________

7 Kevin은 항상 시간 약속을 지킨다. (on time)

→ ______________________________

8 그들은 자주 영화를 보러 갈 수 있다. (go to the movies)

→ ______________________________

9 나는 그의 이름을 전혀 기억할 수 없다. (name)

→ ______________________________

10 나는 당신의 친절을 절대 잊지 않을 것입니다. (kindness)

→ ______________________________

Unit 06 주의해야 할 형용사와 부사

※ 다음 우리말을 주어진 말을 이용하여 조건에 맞춰 영어로 옮기시오.

조건
1. 주어진 단어의 품사에 유의해서 쓸 것
2. 필요한 곳에 too나 either 중 알맞은 것을 쓸 것
3. 시제에 유의하여 동사를 알맞게 변형할 것

1 나는 열심히 일한다. (hard)

→ ____________________

2 그는 빠른 주자이다. (fast, runner)

→ ____________________

3 나의 할머니께서는 건강하시다. (well)

→ ____________________

4 나는 이른 기차를 탔다. (take, a, early)

→ ____________________

5 우리는 서울에 늦게 도착했다. (arrive, late)

→ ____________________

6 비행기 한 대가 높이 날고 있다. (plane, high)

→ ____________________

7 그 기계는 매우 잘 작동한다. (work, very, well)

→ ____________________

8 나의 수학 선생님은 꽤 친절하시다. (nice, pretty)

→ ____________________

9 나는 수학을 좋아하고, John 역시 좋아한다. (like)

→ ____________________

10 그녀는 우유를 좋아하지 않고, 그녀의 언니 역시 마찬가지다. (like, sister)

→ ____________________

비교급과 최상급의 형태 - 규칙 변화

※ 다음 우리말을 주어진 말을 이용하여 조건에 맞춰 영어로 옮기시오.

조건 1. 주어진 말을 비교급 또는 최상급으로 적절히 바꿀 것
2. 시제에 유의하여 동사를 알맞게 변형할 것

1 Tom은 제일 어리다. (young)

→ ______________________________

2 저 가방이 가장 가볍다. (bag, light)

→ ______________________________

3 이 자동차가 더 안전하다. (car, safe)

→ ______________________________

4 그는 살이 더 빠졌다. (get, thin)

→ ______________________________

5 나는 더 큰 방이 필요하다. (big)

→ ______________________________

6 그 신발은 더 더러워졌다. (shoes, get, dirty)

→ ______________________________

7 이 드레스가 더 예쁘다. (pretty)

→ ______________________________

8 어떤 질문이 가장 어렵니? (which, difficult)

→ ______________________________

9 당신은 더 자주 운동해야 한다. (must, exercise)

→ ______________________________

10 좀 더 천천히 말해 주세요. (please, slowly)

→ ______________________________

비교급과 최상급의 형태 - 불규칙 변화형

※ 다음 우리말을 주어진 말을 이용하여 조건에 맞춰 영어로 옮기시오.

조건	1. 주어진 말을 비교급 또는 최상급으로 적절히 바꿀 것 2. 시제에 유의하여 동사를 알맞게 변형할 것

1 그는 가장 좋은 성적을 받았다. (good, grades)

→ ______________________________

2 그녀는 오늘 건강이 조금 더 나아졌다. (little, well)

→ ______________________________

3 그들은 최악의 방안을 갖고 있었다. (bad)

→ ______________________________

4 나는 오늘 몸이 더 안 좋다. (feel, ill)

→ ______________________________

5 우리 팀이 가장 많은 점수를 땄다. (many, point)

→ ______________________________

6 나에게 좀 더 말해 봐. (please, tell, much)

→ ______________________________

7 나는 식품에 가장 적은 돈을 소비한다. (little, food)

→ ______________________________

8 그녀는 요즘 덜 먹는다. (be eating, little, these days)

→ ______________________________

9 그는 자녀들과 좀 더 많은 시간을 보내고 있다. (much)

→ ______________________________

10 날씨가 점점 나아지고 있다. (get, good)

→ ______________________________

원급을 이용한 비교 표현

※ 다음 우리말을 주어진 말을 이용하여 조건에 맞춰 영어로 옮기시오.

조건	1. 시제는 현재시제를 쓸 것 2. 축약이 가능한 경우, 축약형으로 쓸 것

1 나는 Tom만큼 몸무게가 나간다. (heavy)

→ ______________________________

2 그의 목소리는 내 목소리만큼 크다. (loud, mine)

→ ______________________________

3 Sarah는 나만큼 키가 크다. (tall, me)

→ ______________________________

4 Tommy는 Lucy만큼 열심히 공부한다. (hard)

→ ______________________________

5 Simon은 Jake만큼 많이 먹는다. (eat, much)

→ ______________________________

6 돈은 건강만큼 중요하지 않다. (so, important)

→ ______________________________

7 저 파란 트럭은 이 빨간 트럭만큼 크지 않다. (so, big)

→ ______________________________

8 나는 당신만큼 빨리 수영하지 못한다. (cannot, so, fast)

→ ______________________________

9 Mary는 Jane만큼 똑똑하지 않다. (so, smart)

→ ______________________________

10 Paul은 Willy만큼 중국어를 유창하게 못한다. (speak, so, fluently)

→ ______________________________

Unit 04 비교급을 이용한 비교 표현

※ 다음 우리말을 주어진 말을 이용하여 조건에 맞춰 영어로 옮기시오.

조건	1. 비교급 than을 이용해서 쓸 것 2. 생략할 수 있는 부분은 생략할 것

1 오늘이 어제보다 더 따뜻하다. (today, yesterday)

→ ______________________________

2 이 가방은 내 것보다 더 무겁다. (heavy, mine)

→ ______________________________

3 그녀는 나보다 어리다. (young, I)

→ ______________________________

4 Jack은 나보다 훨씬 더 일찍 일어난다. (much, early, I)

→ ______________________________

5 그의 차는 내 것보다 빨리 달릴 수 있다. (fast, mine)

→ ______________________________

6 빨간색 신발이 검은색 신발보다 더 비싸다. (expensive)

→ ______________________________

7 나의 아버지는 나의 형보다 힘이 훨씬 더 세다. (far, strong)

→ ______________________________

8 이 가수는 저 배우보다 훨씬 더 유명하다. (even, famous)

→ ______________________________

9 나는 Paul보다 훨씬 더 느리게 걷는다. (far, slowly)

→ ______________________________

10 우리는 그들보다 영어를 훨씬 더 잘 말할 수 있다. (much, well, they)

→ ______________________________

최상급을 이용한 비교 표현

※ 다음 우리말을 주어진 말을 이용하여 조건에 맞춰 영어로 옮기시오.

조건
1. 괄호에 주어진 단어를 최상급으로 적절히 고칠 것
2. of나 in 중 적절한 전치사를 쓸 것
3. 시제는 현재형으로 쓸 것

1 Sam은 그 모든 소년들 중 제일 키가 크다. (tall)

→ ____________________

2 빨간색 집이 세 개 중 가장 크다. (house, big)

→ ____________________

3 치타는 육상 동물 중 가장 빠르다. (the cheetah, fast, land animal)

→ ____________________

4 Tony는 내 친구들 중 가장 재미있다. (funny, all, friend)

→ ____________________

5 그 검은 고양이는 여섯 마리 중 가장 뚱뚱하다. (black, fat)

→ ____________________

6 내 책상은 이 교실에서 가장 새것이다. (new)

→ ____________________

7 에베레스트 산은 세상에서 제일 높다. (Mt. Everest, high)

→ ____________________

8 Angela는 그 방에서 가장 작은 소녀이다. (small, girl)

→ ____________________

9 저것이 우리 식당에서 가장 인기 있는 요리이다. (popular, dish)

→ ____________________

10 이 호텔은 그 도시에서 가장 저렴하다. (cheap, cheap, city)

→ ____________________

Unit 01 문장의 기본 구성요소

※ 다음 우리말을 주어진 말을 이용하여 조건에 맞춰 영어로 옮기시오.

조건	1. 시제에 유의하여 동사를 알맞게 변형할 것	2. 축약이 가능한 경우, 축약형으로 쓸 것

1 비가 세차게 내렸다. (it, heavily)

→ ____________________

2 그 컴퓨터는 작동되지 않는다. (not, work)

→ ____________________

3 그 가수는 인기가 있다. (popular)

→ ____________________

4 그는 내년에 10살이 될 것이다. (will, next year)

→ ____________________

5 그 파스타는 맛이 좋다. (taste, delicious)

→ ____________________

6 그녀의 이름은 Lucy이다. (name)

→ ____________________

7 그 소녀는 크리스마스 선물을 원한다. (Christmas gift)

→ ____________________

8 그 기린은 물을 마셨다. (drink)

→ ____________________

9 한 친구가 어젯밤 나에게 전화했다. (friend, last night)

→ ____________________

10 그의 아버지는 그를 변호사로 만들었다. (make)

→ ____________________

Unit 02 주어 + 동사(1형식)

※ 다음 우리말을 주어진 말을 이용하여 조건에 맞춰 영어로 옮기시오.

조건	1. 현재시제로 쓸 것	2. 가능한 경우, 「there+be동사 ~」구문을 쓸 것

1 Tom은 춤을 잘 춘다. (well)

→ ______________________________

2 그가 네 뒤에 있다. (be, behind)

→ ______________________________

3 그는 많이 먹는다. (eat, a lot)

→ ______________________________

4 Michael은 워싱턴에서 살고 있다. (Washington)

→ ______________________________

5 그녀의 부모님은 매일 운동하신다. (exercise)

→ ______________________________

6 그의 개는 시끄럽게 짖는다. (bark, loudly)

→ ______________________________

7 접시 위에 오렌지 하나가 있다. (there, plate)

→ ______________________________

8 무대 위에 많은 사람이 있나요? (there, many, stage)

→ ______________________________

9 선반에 몇 권의 책이 있다. (there, some, shelf)

→ ______________________________

10 냉장고에 멜론이 하나 있다. (there, melon, fridge)

→ ______________________________

Unit 03 주어 + 동사 + 보어(2형식)

※ 다음 우리말을 주어진 말을 이용하여 조건에 맞춰 영어로 옮기시오.

조건	1. 필요한 경우 전치사 like를 쓸 것	2. 시제에 유의하여 동사를 알맞게 변형할 것

1 어제 바람이 불었다. (it)

→ ______________________

2 그는 소방관이 되었다. (become, firefighter)

→ ______________________

3 그녀는 인기가 많아졌다. (become)

→ ______________________

4 나뭇잎들은 가을에 빨갛고 노랗게 변한다. (turn, fall)

→ ______________________

5 그녀는 저 블라우스를 입으면 예뻐 보인다. (pretty, in, blouse)

→ ______________________

6 그녀는 자신의 어머니를 닮았다. (look like)

→ ______________________

7 그 우유는 상한 냄새가 난다. (smell, bad)

→ ______________________

8 그 비누는 꽃향기가 난다. (smell, flowers)

→ ______________________

9 그 이야기는 매우 친숙하게 들린다. (sound, familiar)

→ ______________________

10 그녀는 행복해 보인다. (seem)

→ ______________________

Unit 04 주어 + 동사 + 목적어(3형식)

※ 다음 우리말을 주어진 말을 이용하여 조건에 맞춰 영어로 옮기시오.

조건	1. 시제에 유의하여 동사를 알맞게 변형할 것	2. 축약이 가능한 경우, 축약형으로 쓸 것

1 그녀는 집 한 채를 갖고 있다. (have)

→ ____________________

2 그는 오늘 큰 물고기를 잡았다. (catch, large)

→ ____________________

3 그 가게는 신발과 가방을 판다. (store, sell)

→ ____________________

4 모두가 Susie를 좋아한다. (everyone, like)

→ ____________________

5 그들은 어제 전화를 받았다. (answer, the phone)

→ ____________________

6 그 소녀들은 방과 후에 야구를 한다. (play, after school)

→ ____________________

7 그는 정원에 나무 몇 그루를 심을 것이다. (plant, some, garden)

→ ____________________

8 나의 어머니는 클래식 음악을 좋아한다. (like, classical music)

→ ____________________

9 그녀는 커피를 마시지 않는다. (drink, coffee)

→ ____________________

10 나는 지난 월요일에 학교에서 그녀를 못 봤다. (see, last Monday)

→ ____________________

Unit 05 주어 + 동사 + 간접목적어 + 직접목적어(4형식)

※ 다음 우리말을 주어진 말을 이용하여 조건에 맞춰 영어로 옮기시오.

조건	1. 인칭대명사의 격에 유의할 것	2. 시제에 유의하여 동사를 알맞게 변형할 것

1 Tom은 자신의 부모님에게 엽서 한 장을 보냈다. (send, postcard)

→ ______________________________

2 그의 할아버지께서는 그에게 돈을 좀 주셨다. (give, some)

→ ______________________________

3 나는 Peter에게 소설책 한 권을 빌려줬다. (lend, novel)

→ ______________________________

4 나는 그녀에게 그 가격을 물어보았다. (ask, price)

→ ______________________________

5 그 웨이터는 그에게 물 한 잔을 가져다주었다. (bring, a glass of)

→ ______________________________

6 Tom은 매일 자녀들에게 한 편의 이야기를 읽어준다. (read, his kids)

→ ______________________________

7 그녀는 딸에게 쿠키를 만들어 줬다. (make, her daughter)

→ ______________________________

8 나의 삼촌은 나에게 자전거를 한 대 사 줬다. (buy, a bicycle)

→ ______________________________

9 박 선생님은 자신의 학생들에게 음악을 가르치신다. (Ms. Park, teach)

→ ______________________________

10 나의 할머니께서는 나에게 벙어리장갑을 만들어 주셨다. (make, mittens)

→ ______________________________

문장의 전환: 4형식 → 3형식

※ 다음 우리말을 주어진 말을 이용하여 조건에 맞춰 영어로 옮기시오.

조건
1. 3형식 문장을 쓸 것
2. to, for, of 중 적절한 전치사를 쓸 것
3. 시제에 유의하여 동사를 알맞게 변형할 것

1 Bill은 나에게 돈은 조금 빌려줬다. (lend, some)

→ ______________________________

2 그녀는 Mark에게 사탕을 좀 줬다. (give, some)

→ ______________________________

3 그 웨이터는 우리에게 계산서를 가져다주었다. (bring, our bill)

→ ______________________________

4 Kevin은 어제 나에게 선물을 보내줬다. (send, present)

→ ______________________________

5 나의 아버지는 우리에게 뮤지컬 표를 사 주셨다. (get, to a musical)

→ ______________________________

6 나는 아버지께 좋은 모자를 사 드렸다. (buy, nice, hat)

→ ______________________________

7 그는 아들에게 장난감 자동차를 만들어 줬다. (make, toy car)

→ ______________________________

8 나의 오빠는 그 새들에게 둥지 하나를 지어주는 중이다. (build, the birds)

→ ______________________________

9 그는 나에게 내 안경을 찾아주었다. (find, glasses)

→ ______________________________

10 한 젊은이가 그 연사에게 질문을 했다. (ask, a question, the speaker)

→ ______________________________

Unit 07 주어 + 동사 + 목적어 + 목적격보어(5형식)

※ 다음 우리말을 주어진 말을 이용하여 조건에 맞춰 영어로 옮기시오.

조건	1. 인칭대명사의 격에 유의할 것	2. 시제에 유의하여 동사를 알맞게 변형할 것

1 그들은 나를 영웅이라 불렀다. (call, hero)

→ ______________________________

2 그 영화는 그를 유명하게 만들었다. (make, famous)

→ ______________________________

3 그들은 그 일이 어렵다고 생각했다. (find, work, difficult)

→ ______________________________

4 이 구명조끼는 나를 안전하게 지켜줬다. (life jacket, keep, safe)

→ ______________________________

5 그들은 그녀를 반대표로 뽑았다. (elect, class leader)

→ ______________________________

6 그들은 자신들의 아기를 Ben이라고 이름 지었다. (name, baby)

→ ______________________________

7 나의 아버지는 나를 음악가로 만들었다. (make, musician)

→ ______________________________

8 이 커피는 당신을 깨어 있게 유지시켜 줄 것이다. (keep, awake)

→ ______________________________

9 그는 자신의 개에게 Fuzzy라는 이름을 붙였다. (name)

→ ______________________________

10 그 음식은 나를 아프게 만들었다. (make, sick)

→ ______________________________

Unit 01 to부정사의 명사적 쓰임

※ 다음 우리말을 주어진 말을 이용하여 조건에 맞춰 영어로 옮기시오.

조건	1. 시제에 유의하여 동사를 알맞게 변형할 것	2. 축약이 가능한 경우, 축약형으로 쓸 것

1 말을 타는 것은 신이 난다. (ride, exciting)

→ ______

2 축구를 하는 것은 재미있다. (it, fun, play)

→ ______

3 나는 그곳에서 당신을 만나기를 바란다. (hope, see)

→ ______

4 우리는 서울로 이사 가는 것을 원하지 않는다. (want, move to)

→ ______

5 나는 파티에서 그를 보게 될 것을 예상하지 않았다. (expect, see)

→ ______

6 나는 아버지가 행복하시기를 바란다. (want)

→ ______

7 그는 내가 피아노 치기를 원한다. (want)

→ ______

8 그의 업무는 보고서를 쓰는 일이다. (job, write, reports)

→ ______

9 그녀의 꿈은 작가가 되는 것이다. (be, writer)

→ ______

10 내 숙제는 작문을 하는 것이다. (write, an essay)

→ ______

to부정사의 부사적, 형용사적 쓰임

※ 다음 우리말을 주어진 말을 이용하여 조건에 맞춰 영어로 옮기시오.

조건
1. 목적을 나타내는 to부정사는 in order to를 쓰고 생략할 수 있는 부분에 괄호( ) 표시할 것
2. 시제에 유의하여 동사를 알맞게 변형할 것
3. 축약이 가능한 경우, 축약형으로 쓸 것

1 나는 오렌지 몇 개를 사기 위해 시장에 갔다. (go, market, some)

→ ______________________________

2 엄마는 코미디 프로그램을 보기 위해 TV를 켰다. (turn on, a comedy show)

→ ______________________________

3 그는 건강 유지를 위해 매일 헬스클럽에 간다. (go, the gym, stay)

→ ______________________________

4 우리는 그 상을 타서 행복하다. (happy, win, prize)

→ ______________________________

5 그녀는 그 이야기를 듣고 놀랐다. (surprised, hear)

→ ______________________________

6 나는 쉴 시간이 필요하다. (need, rest)

→ ______________________________

7 그녀는 초대할 두 명의 사람이 있다. (have, people)

→ ______________________________

8 잠 잘 시간이다. (it, go to bed)

→ ______________________________

9 나는 할 말이 있다. (have, something)

→ ______________________________

10 나는 차가운 마실 것을 원한다. (want, something)

→ ______________________________

Chapter 10

Unit 03 동명사

※ 다음 우리말을 주어진 말을 이용하여 조건에 맞춰 영어로 옮기시오.

조건	1. 동명사를 쓸 것 3. 축약이 가능한 경우, 축약형으로 쓸 것	2. 시제에 유의하여 동사를 알맞게 변형할 것

1 스키 타기는 재미있다. (ski, fun)

→ ______________________________

2 열심히 공부하는 것은 중요하다. (study hard)

→ ______________________________

3 그녀의 가장 좋아하는 활동은 음악 듣기이다. (activity, listen to)

→ ______________________________

4 나의 삼촌의 취미는 도보 여행 가기다. (hobby, hike)

→ ______________________________

5 그 소년은 플라스틱 모델 만들기를 좋아한다. (love, plastic models)

→ ______________________________

6 그는 운동하는 것을 포기하지 않을 것이다. (give up, exercise)

→ ______________________________

7 창문 좀 열어 줄래? (mind)

→ ______________________________

8 다시 비가 내리기 시작했다. (it, begin)

→ ______________________________

9 James는 만들기에 능숙하다. (be good at, things)

→ ______________________________

10 나는 스포츠를 하는 것에 관심이 있다. (be interested in, play sports)

→ ______________________________

Unit 04 to부정사와 동명사

※ 다음 우리말을 주어진 말을 이용하여 조건에 맞춰 영어로 옮기시오.

조건	1. to부정사나 동명사를 쓸 것	2. 시제에 유의하여 동사를 알맞게 변형할 것

1 나는 그들을 도와주기로 약속했다. (promise)

→ ____________________

2 나의 언니는 대학에 들어가기로 결심했다. (decide, go to college)

→ ____________________

3 나는 그와 이야기하고 싶다. (would like, talk to)

→ ____________________

4 당신은 미래에 무엇이 되고 싶나요? (want, be, future)

→ ____________________

5 그들은 계속해서 걸었다. (keep, walk)

→ ____________________

6 그는 탁구를 즐겨 친다. (enjoy, table tennis)

→ ____________________

7 TV 좀 꺼 줄래? (mind, turn off)

→ ____________________

8 그 소녀는 만화 보기를 좋아한다. (like, animation)

→ ____________________

9 눈이 내리기 시작했다. (start, snow)

→ ____________________

10 Jim은 휴식을 취하려고 멈췄다. (stop, rest)

→ ____________________

to부정사와 동명사의 관용표현

※ 다음 우리말을 주어진 말을 이용하여 조건에 맞춰 영어로 옮기시오.

조건	1. 필요한 경우, to부정사나 동명사를 쓸 것	2. 시제에 유의하여 동사를 알맞게 변형할 것

1 그 물은 마실 만큼 충분히 깨끗하다. (water, clean)

→ ______

2 내 어린 여동생은 글을 읽기에 너무 어리다. (little, sister, read)

→ ______

3 그들은 축구팀을 만들 만큼 충분한 인원이 있다. (have, members, soccer team)

→ ______

4 그녀는 너무 바빠서 그에게 전화할 수 없었다. (so, busy, call)

→ ______

5 그들은 스키 타러 갔다. (go, ski)

→ ______

6 그는 차 한 대를 수리하느라 바쁘다. (busy, fix)

→ ______

7 그녀는 영화 한 편을 보고 싶다. (feel, watch)

→ ______

8 저를 초대해 주셔서 감사합니다. (thank, invite)

→ ______

9 나는 당신을 만나기를 고대합니다. (look, see)

→ ______

10 이 테이블을 저기에 놓으면 어떨까? (how about, put, over)

→ ______

장소를 나타내는 전치사

※ 다음 우리말을 주어진 말을 이용하여 조건에 맞춰 영어로 옮기시오.

조건	1. 적절한 전치사를 쓸 것	2. 시제에 유의하여 동사를 알맞게 변형할 것

1 지렁이 한 마리가 화분 밑에 있다. (worm, the pot)

→ ______________________________

2 그들은 연못 위에 다리를 지었다. (build, pond)

→ ______________________________

3 차 뒤에 고양이가 있다. (there, behind)

→ ______________________________

4 그는 벽 옆에 자신의 차를 주차했다. (park, wall)

→ ______________________________

5 그 탑은 그 두 개의 강 사이에 있다. (tower, river)

→ ______________________________

6 그 책들은 내 가방 안에 있다. (my backpack)

→ ______________________________

7 그는 파티에 참석하고 있다. (be, party)

→ ______________________________

8 그녀는 기차를 타고 있다. (train)

→ ______________________________

9 그녀가 그 남자 앞에 서 있다. (stand)

→ ______________________________

10 한 소년이 자신의 엄마 아빠 사이에 앉아 있다. (sit, mom, dad)

→ ______________________________

Unit 02 방향을 나타내는 전치사

※ 다음 우리말을 주어진 말을 이용하여 조건에 맞춰 영어로 옮기시오.

조건	1. 적절한 전치사를 쓸 것	2. 시제에 유의하여 동사를 알맞게 변형할 것

1 그는 서울에 도착했다. (arrive, Seoul)

→ ______________________________

2 그는 그 계단을 내려가고 있는 중이다. (the stairs)

→ ______________________________

3 그녀는 그 방에 들어갔다. (go)

→ ______________________________

4 잠수부는 배 밖으로 뛰어내렸다. (jump, boat)

→ ______________________________

5 그녀는 머리부터 발끝까지 흰색으로 차려입었다. (dress, head, toe)

→ ______________________________

6 그는 길을 따라서 갔다. (go, road)

→ ______________________________

7 약국은 은행 건너편에 있다. (drug store, be)

→ ______________________________

8 우리는 차를 타고 숲 주변을 돌았다. (drive, the forest)

→ ______________________________

9 그 기차는 터널을 통과한다. (go, a tunnel)

→ ______________________________

10 그녀는 5월 5일에 미국에 도착했다. (arrive, May 5th)

→ ______________________________

시간을 나타내는 전치사

※ 다음 우리말을 주어진 말을 이용하여 조건에 맞춰 영어로 옮기시오.

조건	1. 적절한 전치사를 쓸 것	2. 시제에 유의하여 동사를 알맞게 변형할 것

1 그녀는 2010년에 태어났다. (born)

→ ____________________

2 나는 항상 정오에 점심을 먹는다. (eat, noon)

→ ____________________

3 당신은 1월 1일에 무엇을 했나요? (January 1st)

→ ____________________

4 그는 매일 30분 동안 운동을 한다. (work out, minutes)

→ ____________________

5 수업 중에 전화기를 사용하지 마세요. (phone, class)

→ ____________________

6 그 표는 다음 주까지 할인을 한다. (tickets, on sale)

→ ____________________

7 저희는 금요일까지 귀하의 책을 배송할 것입니다. (will, deliver)

→ ____________________

8 점심 전에 돌아와야 한다. (should, be back)

→ ____________________

9 방과 후에 축구를 했니? (play soccer)

→ ____________________

10 나의 삼촌은 7시 30분경에 출근한다. (leave for, 7:30)

→ ____________________

Chapter 11

Unit 04 기타 주요 전치사

※ 다음 우리말을 주어진 말을 이용하여 조건에 맞춰 영어로 옮기시오.

조건	1. 적절한 전치사를 쓸 것 2. 시제에 유의하여 동사를 알맞게 변형할 것

1 Mark는 저 빨강 머리 소녀를 좋아한다. (like)

→ ______

2 그는 젓가락으로 국수를 먹었다. (noodles, eat)

→ ______

3 그는 설탕 없이 커피를 마셨다. (drank)

→ ______

4 나는 차 없는 세상은 상상할 수 없다. (imagine)

→ ______

5 나는 그것에 대해 질문이 있다. (have)

→ ______

6 어린애처럼 굴지 마라! (stop acting, child)

→ ______

7 그는 게와 같은 해산물을 매우 좋아한다. (love, crab)

→ ______

8 그녀는 자전거를 타고 등교한다. (go, by)

→ ______

9 그들은 차를 타고 인천으로 갔다. (go to Incheon, by)

→ ______

10 나의 이모는 걸어서 출근한다. (go to work, foot)

→ ______

Unit 01 등위접속사 and, or, but

※ 다음 우리말을 주어진 말을 이용하여 조건에 맞춰 영어로 옮기시오.

조건	1. and, or, but 중 적절한 접속사를 쓸 것	2. 시제에 유의하여 동사를 알맞게 변형할 것

1 그는 금발머리와 갈색 눈을 가지고 있다. (have, blond, brown)

→ ______________________________

2 Sam은 TV를 보고 있는 중이고, Dana는 잠을 자는 중이다. (watch TV, sleep)

→ ______________________________

3 그는 영어, 한국어, 일본어를 말할 수 있다. (can, speak)

→ ______________________________

4 너는 초콜릿을 원하니, 쿠키를 원하니? (chocolate, cookies)

→ ______________________________

5 너는 낮잠을 자거나 밖에서 놀 수 있어. (take a nap, play outside)

→ ______________________________

6 당신은 신용 카드나 현금으로 지불할 수 있습니다. (by credit card, in cash)

→ ______________________________

7 당신은 거기에 버스나 지하철, 또는 도보로 갈 수 있습니다. (subway, foot)

→ ______________________________

8 그 커플은 부자이지만, 구두쇠이다. (couple, stingy)

→ ______________________________

9 나는 쇼핑몰에 갔지만 아무것도 사지 않았다. (go to the mall, anything)

→ ______________________________

10 그는 애완동물이 2마리 있지만, 나는 하나도 없다. (have, pet, any)

→ ______________________________

Unit 02 명령문, and[or] ~

※ 다음 우리말을 주어진 말을 이용하여 조건에 맞춰 영어로 옮기시오.

조건	1. 1~6번은 명령문을 써서 문장을 완성할 것 2. 7~10번은 if나 unless를 써서 문장을 완성할 것 3. 축약이 가능한 경우, 축약형으로 쓸 것

1 일찍 일어나라. 그러면 해돋이를 볼 수 있을 것이다. (see, sunrise)

→ ______________________________

2 저희 웹 사이트를 방문하시면 더 많은 정보를 얻을 수 있습니다. (visit, get, information)

→ ______________________________

3 서둘러라. 그렇지 않으면 당신은 늦을 것이다. (hurry up)

→ ______________________________

4 많은 책을 읽어라. 그렇지 않으면 당신은 어휘가 늘지 않을 것이다. (many, vocabulary, improve)

→ ______________________________

5 늦지 마라. 안 그러면 쇼를 놓칠 것이다. (late, miss)

→ ______________________________

6 너무 많이 먹지 마라. 그렇지 않으면 나중에 졸릴 것이다. (too much, feel sleepy)

→ ______________________________

7 하루에 사과를 하나씩 먹으면 당신은 건강을 유지할 것이다. (a day, stay healthy)

→ ______________________________

8 너무 늦게까지 깨어있으면, 내일 피곤할 것이다. (stay up, too late, tired)

→ ______________________________

9 우유를 마시지 않으면 당신의 뼈는 약해질 것이다. (if, bones, become, weak)

→ ______________________________

10 지금 병원에 가지 않으면 독감이 더 나빠질 것이다. (unless, see a doctor, flu, become, worse)

→ ______________________________

Unit 03 종속접속사 when, after, before

※ 다음 우리말을 주어진 말을 이용하여 조건에 맞춰 영어로 옮기시오.

조건	
1. when, after, before 중 알맞은 접속사를 쓸 것	2. 종속접속사 절의 시제에 유의할 것
3. 1~5번은 종속접속사를 두 절 사이에 쓸 것	4. 6~10번은 종속접속사로 문장을 시작할 것

1 엄마가 시장에 가실 때 음식을 좀 사실 거야. (some food, market)

→ ______________________________

2 그가 여행에서 돌아왔을 때 매우 피곤했다. (return from the trip)

→ ______________________________

3 나는 호주에 갔을 때 캥거루를 보았다. (go to Australia)

→ ______________________________

4 그는 졸업 후에 교사가 되었다. (become, graduate)

→ ______________________________

5 그는 결혼하고 나서 뉴욕으로 이사 갔다. (New York, get married)

→ ______________________________

6 그는 숙제를 끝내고 저녁을 먹었다. (finish, have)

→ ______________________________

7 나는 옷을 사기 전에 항상 입어본다. (buy clothes, try on)

→ ______________________________

8 내가 어렸을 때 많은 꿈을 가지고 있었다. (young, many)

→ ______________________________

9 그들은 방과 후에 피아노 수업을 듣는다. (finish, take, lessons)

→ ______________________________

10 그들은 영화가 시작되기 전에 팝콘과 콜라를 샀다. (start, popcorn, cola)

→ ______________________________

종속접속사 if, because, so

※ 다음 우리말을 주어진 말을 이용하여 조건에 맞춰 영어로 옮기시오.

조건	1. 1~4번은 접속사 if나 unless를 쓸 것 3. 8~10번은 접속사 so를 쓸 것	2. 5~7번은 접속사 because를 쓸 것

1 내가 너의 도움이 필요하면 너에게 전화할게. (need, help)

→ ______________________

2 네가 우산이 없으면 내 것을 함께 쓰자. (share, not, umbrella,)

→ ______________________

3 지금 배고프지 않으면 먹지 않아도 된다. (unless, have to, eat)

→ ______________________

4 실패하고 싶지 않으면, 열심히 연습해야 한다. (unless, have to, practice)

→ ______________________

5 그 남자는 목이 말라서 물을 마셨다. (a glass of, thirsty)

→ ______________________

6 날이 추워서 그녀는 따뜻한 옷을 입었다. (it, warm clothes)

→ ______________________

7 하늘이 맑아서 우리는 야외에서 식사를 했다. (it, sunny, have a picnic)

→ ______________________

8 그는 심심해서 영화를 보러 갔다. (bored, go to the movies)

→ ______________________

9 나는 안경을 쓰고 있지 않아서 선명하게 볼 수 없다. (wear, see things clearly)

→ ______________________

10 그는 감기가 들어서 병원에 갔다. (catch a cold, go to the doctor)

→ ______________________

Unit 05 종속접속사 that

※ 다음 우리말을 주어진 말을 이용하여 조건에 맞춰 영어로 옮기시오.

조건	1. 시제에 유의하여 동사를 알맞게 변형할 것	2. 생략할 수 있는 부분에 괄호() 표시할 것

1 나는 그가 그림을 잘 그린다고 생각한다. (be good at, painting)

→ ______________________________

2 그녀는 Tom이 다음 주에 돌아올 것이라는 것을 알고 있다. (be back)

→ ______________________________

3 나는 그녀가 나를 기억하기를 바란다. (remember)

→ ______________________________

4 그녀는 그 영화가 좋다고 말했다. (like, movie)

→ ______________________________

5 나는 그녀가 진실을 알고 있다고 생각한다. (truth)

→ ______________________________

6 사람들은 Steve가 부자라고 믿는다. (people, rich)

→ ______________________________

7 우리는 이 나무가 500살이라는 것을 믿을 수 없다. (can't, 500 years old)

→ ______________________________

8 그녀는 그것이 쉽지 않다는 것을 알고 있다. (know, easy)

→ ______________________________

9 나는 그녀의 아버지가 캐나다인이라고 들었다. (hear, father, Canadian)

→ ______________________________

10 그는 자신이 훌륭한 비행기 조종사가 될 수 있다고 믿는다. (can, great, pilot)

→ ______________________________

MEMO

MEMO

MEMO

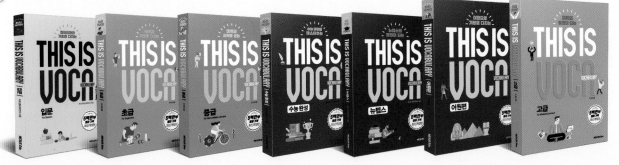

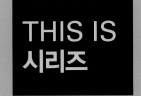

NEXUS Edu

LEVEL CHART

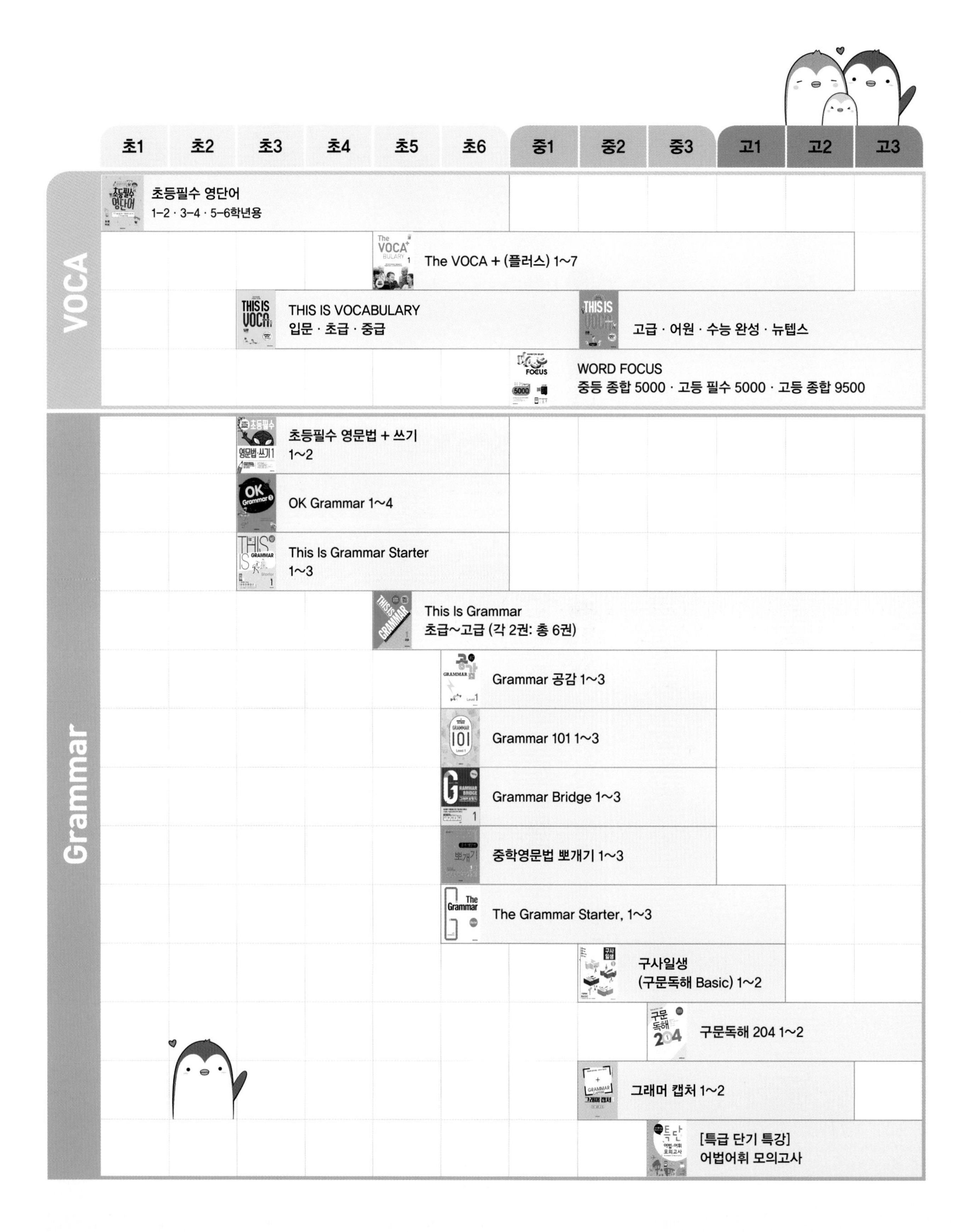

초1
초2
초3
초4
초5
초6
중1
중2
중3
고1
고2
고3
VOCA
초등필수 영단어
1-2 · 3-4 · 5-6학년용
The VOCA + (플러스) 1~7
THIS IS VOCABULARY
입문 · 초급 · 중급
고급 · 어원 · 수능 완성 · 뉴텝스
WORD FOCUS
중등 종합 5000 · 고등 필수 5000 · 고등 종합 9500
Grammar
초등필수 영문법 + 쓰기
1~2
OK Grammar 1~4
This Is Grammar Starter
1~3
This Is Grammar
초급~고급 (각 2권: 총 6권)
Grammar 공감 1~3
Grammar 101 1~3
Grammar Bridge 1~3
중학영문법 뽀개기 1~3
The Grammar Starter, 1~3
구사일생
(구문독해 Basic) 1~2
구문독해 204 1~2
그래머 캡처 1~2
[특급 단기 특강]
어법어휘 모의고사

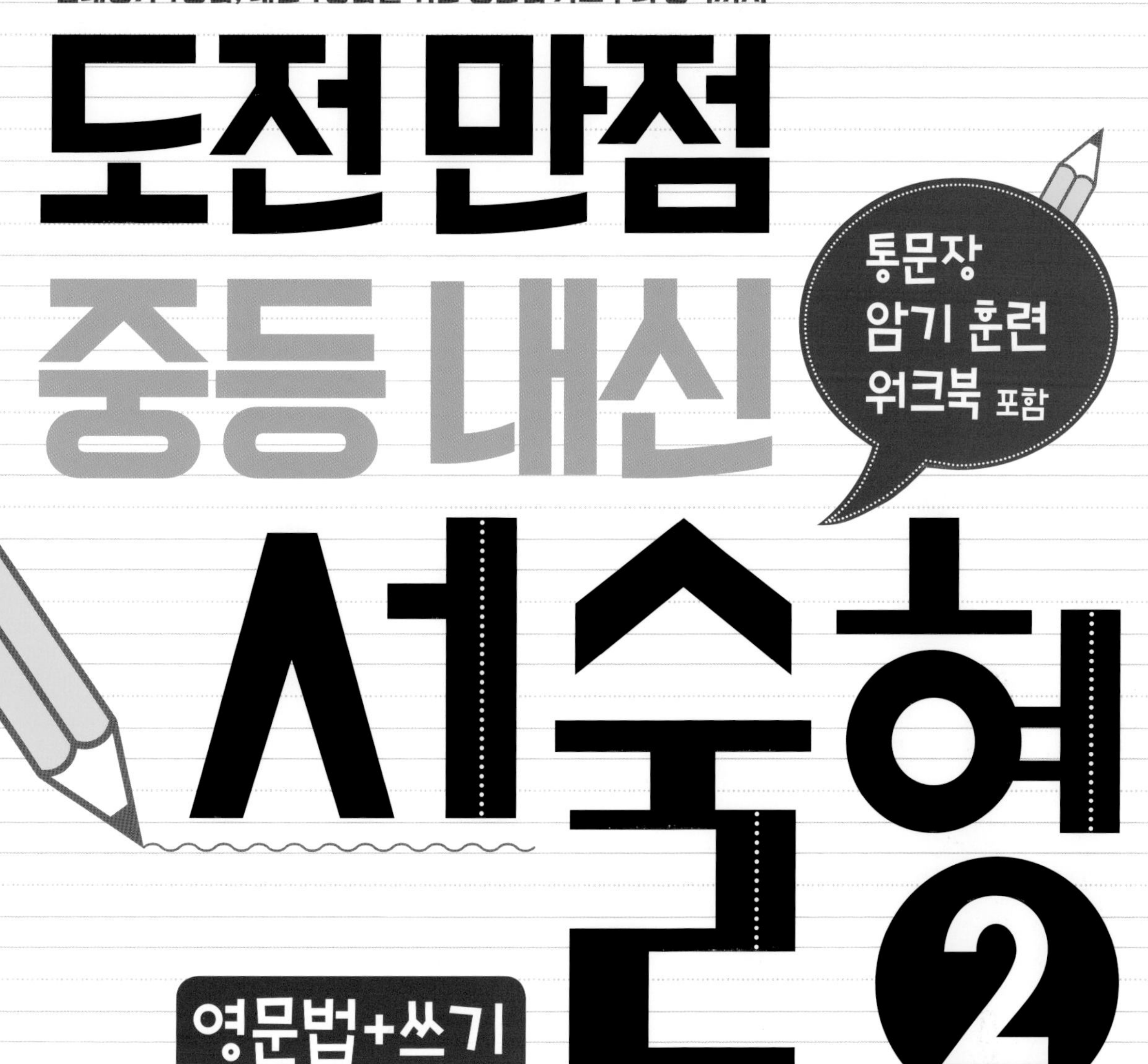

넥서스영어교육연구소 지음

정답 및 해설

6가지 학습자료 무료 제공 www.nexusbook.com

NEXUS Edu

도전만점 중등내신 서술형 2

통문장 암기 훈련 워크북 포함

영문법+쓰기

정답 및 해설

NEXUS Edu

Chapter 7 형용사와 부사

Unit 1 형용사 p.010

Check-up 1

1	famous	2	exciting
3	silly	4	cute
5	kind	6	fat
7	big	8	small
9	beautiful	10	tall, thin

해석

1 그는 유명한 배우이다.
2 나는 흥미진진한 경기를 보았다.
3 그것은 어리석은 질문이다.
4 너는 귀여운 애완동물이 있다.
5 그녀는 친절한 의사이다.
6 나무 아래에 있는 그 고양이는 뚱뚱하다.
7 그림에 있는 그 고래들은 크다.
8 개미들은 작다.
9 그 도시는 아름답다.
10 그 소년은 키가 크고 말랐다.

해설

1 famous는 actor를 수식
2 exciting은 game을 수식
3 silly는 question을 수식
4 cute은 pet을 수식
5 kind는 doctor를 수식
6 fat은 The cat을 보충 설명
7 big은 The whales를 보충 설명
8 small은 Ants를 보충 설명
9 beautiful은 The city를 보충 설명
10 tall, thin은 The boy를 보충 설명

Check-up 2

1	boy	2	animal
3	person	4	girl
5	information	6	The movie
7	You	8	me
9	Edward	10	his desk

해석

1 그는 어린 소년이다.
2 코끼리는 큰 동물이다.
3 나는 정직한 사람이다.
4 그녀는 행복한 소녀이다.
5 이것은 중요한 정보이다.
6 그 영화는 재미있었다.
7 너는 오늘 피곤해 보인다.
8 그 소식은 나를 슬프게 했다.
9 Edward는 똑똑하고 잘 생겼다.
10 그는 자신의 책상을 깨끗하게 유지한다.

해설

1 young은 boy를 수식
2 large는 animal을 수식
3 honest는 person을 수식
4 happy는 girl을 수식
5 important는 information을 수식
6 fun은 The movie를 보충 설명
7 tired는 You를 보충 설명
8 sad는 me를 보충 설명
9 smart, handsome은 Edward를 보충 설명
10 clean은 his desk를 보충 설명

STEP 1

1	funny, story	2	old, watch
3	new, coat	4	beautiful, lake

해설

1 funny는 story를 수식
2 old는 watch를 수식
3 new는 coat를 수식
4 beautiful은 lake를 수식

STEP 2

1	young	2	cute
3	upset	4	boring

해석

보기 나는 새 펜이 있다.
→ 내 펜은 새 것이다.

1 그는 어린 딸이 있다.
→ 그의 딸은 어리다.
2 그녀는 귀여운 개가 있다.
→ 그녀의 개는 귀엽다.
3 나는 그 소식에 화가 났다.
→ 그 소식은 나를 화나게 만들었다.
4 그 게임은 나에게 지루했다.
→ 나는 그 게임이 지루하다고 생각했다.

STEP 3

1	something, cold	2	nothing, new
3	anything, strange	4	someone, special

해석

1 뭐 좀 줄까?
→ 찬 것을 좀 줄까?

2 이 잡지에는 아무것도 없다.
→ 이 잡지에는 새로운 것이 아무것도 없다.

3 무언가를 보았니?
→ 무언가 이상한 것을 보았니?

4 나는 누군가를 만났다.
→ 나는 특별한 누군가를 만났다.

해설

1~4 -thing, -one으로 끝나는 대명사는 형용사가 뒤에서 수식

STEP 4

1 You look great.
2 My grandmother has a big ring.
3 I found the movie boring.
4 Have a great time at the party.
5 My nephew wants something sweet.
6 They will keep the children safe.

해설

1 look+형용사 (주격보어): ~해 보이다
2 big이 ring을 수식
3 find+목적어+형용사 (목적격보어): ~가 ~하다고 생각하다
4 great이 time을 수식
5 -thing으로 끝나는 대명사는 형용사가 뒤에서 수식
6 keep+명사+형용사 (목적격보어): ~가 ~하도록 유지하다

STEP 5

1 She is honest.
2 My English is not perfect.
3 His dogs are not small.
4 Is there anything wrong?
5 Mr. Jackson is a good teacher.
6 This coffee is fresh.

해설

1 honest는 She를 보충 설명
2 perfect는 My English를 보충 설명
3 small이 His dogs를 보충 설명
4 -thing으로 끝나는 대명사는 형용사가 뒤에서 수식
5 good이 teacher를 수식
6 fresh가 This coffee를 보충 설명

Unit 2 부정수량 형용사

p.013

Check-up 1

1	many, a lot of	2	much
3	some	4	some
5	any	6	any
7	A few	8	a little

해석

1 책장에 책이 많이 있다.
2 그는 수중에 돈이 많이 없다.
3 나는 콜라를 좀 원한다.
4 쿠키 먹을래?
5 주말에 무슨 계획 있니?
6 그녀는 커피에 설탕을 조금도 넣지 않는다.
7 며칠 전에 나는 이상한 꿈을 꾸었다.
8 잔에 우유가 조금 있다.

해설

1 many, a lot은 가산명사를 수식
2 much는 불가산명사를 수식
3~4 some은 긍정문, 권유문에서 쓰임
5~6 any는 부정문, 의문문에서 쓰임
7 a few는 가산명사를 수식
8 a little은 불가산명사를 수식

STEP 1

1	much	2	many
3	much	4	many
5	much		

해석

1 나는 오늘 일이 많지 않다.
2 우리 언니는 친구가 많다.
3 그는 숙제가 매우 많다.
4 바구니에 사과가 많이 있다.
5 길 위에 차량들이 많다.

해설

1, 3, 5 much는 불가산명사를 수식
2, 4 many는 가산명사를 수식

STEP 2

1 some 2 any
3 some 4 any
5 any

해석

1 나는 물이 조금 필요하다.
2 질문이 있어요?
3 사탕 좀 먹을래?
4 코치는 오늘 어떤 수업도 가르치지 않았다.
5 Tom은 형제가 한 명도 없다.

해설

1 some은 긍정문에서 쓰임
2, 4, 5 any는 부정문, 의문문에서 쓰임
3 의문문이지만 권유를 의미하는 문장에서는 some이 쓰임

STEP 3

1 few 2 a few
3 little 4 a little
5 a few

해설

1 few: 부정의 의미, 가산명사 수식
2, 5 a few: 긍정의 의미, 가산명사 수식
3 little: 부정의 의미, 불가산명사 수식
4 a little: 긍정의 의미, 불가산명사 수식

STEP 4

1 She knows many things about you.
2 I bought a lot of vegetables.
3 He borrowed a few books from the library.
4 We had little rain last year.
5 They didn't make any mistakes.
6 Few people heard the news.

해설

1 many는 가산명사를 수식
2 a lot of은 가산명사를 수식
3 a few는 가산명사를 수식
4 little은 불가산명사를 수식
5 any는 부정문에서 쓰임
6 few는 가산명사를 수식

STEP 5

1 There are lots of people in the park.
2 Here is a little information about the museum.
3 My uncle had some desserts.
4 He drinks too much coffee.
5 She had little sleep last night.
6 I know few things about the city.

해설

1 lots of는 가산명사를 수식
2 긍정의 의미이므로 a little을 써야 함
3 some은 가산, 불가산명사 둘 다 수식
4 much는 불가산명사 수식
5 부정의 의미이므로 little을 써야 함
6 부정의 의미이므로 few를 써야 함

Unit 3 감정형용사

p.016

Check-up 1

1 interesting 2 surprising
3 boring 4 shocking
5 touching

해설

1~5 감정동사+-ing: 감정을 일으키는 주체에 대해 쓰임

Check-up 2

1 interested 2 surprised
3 bored 4 shocked
5 touched

해설

1~5 감정동사+-ed: 감정을 느끼는 주체에 대해 쓰임

STEP 1

1 excited 2 depressing
3 frightened 4 interesting

해설

1 He (감정을 느낌) → -ed
2 Rainy weather (감정을 일으킴) → -ing
3 명령문의 암시된 주어 You (감정을 느낌) → -ed
4 history (감정을 일으킴) → -ing

STEP 2

1 a. surprising b. surprised
2 a. pleasing b. pleased
3 a. satisfied b. satisfying
4 a. disappointing b. disappointed
5 a. moving b. moved
6 a. boring b. bored
7 a. amazing b. amazed

해석

1 a. 그 뉴스는 놀라웠다.
b. 우리는 그 뉴스를 듣고 놀랐다.
2 a. 그것은 우리에게 매우 유쾌한 순간이었다.
b. 팬들은 팀의 노력에 만족했다.
3 a. 우리는 서비스에 만족했다.
b. 그녀는 만족스러운 식사를 했다.
4 a. 저녁 식사는 실망스러웠다.
b. 나는 너에게 매우 실망했다.
5 a. 그 영화는 감동적이었다.
b. 그들은 그 이야기에 감동받았다.
6 a. 그 연설은 지루하게 만들었다.
b. 그는 연설 때문에 지루했다.
7 a. 집은 놀라웠다.
b. 그들은 크기에 놀랐다.

해설

1 a. news (감정을 일으킴) → -ing
b. We (감정을 느낌) → -ed
2 a. moment (감정을 일으킴) → -ing
b. The fans (감정을 느낌) → -ed
3 a. We (감정을 느낌) → -ed
b. meal (감정을 일으킴) → -ing
4 a. Dinner (감정을 일으킴) → -ing
b. I (감정을 느낌) → -ed
5 a. The film (감정을 일으킴) → -ing
b. They (감정을 느낌) → -ed
6 a. The speech (감정을 일으킴) → -ing
b. He (감정을 느낌) → -ed
7 a. The house (감정을 일으킴) → -ing
b. They (감정을 느낌) → -ed

STEP 3

1 She was pleased with her grades.
2 I was exhausted by the training.
3 His health is worrying.
4 Their service was disappointing.
5 I was embarrassed by my mistake.
6 The news made them depressed.

해설

1~2, 5~6 감정을 느끼는 대상 → -ed
3~4 감정을 일으키는 대상 → -ing

STEP 4

1 The work is exhausting.
2 The smell of the bread is pleasing.
3 The question is embarrassing.
4 His mask is frightening.
5 I'm worried about my brother.
6 Are you interested in fashion?

해설

1~4 감정을 일으키는 대상 → -ing
5~6 감정을 느끼는 대상 → -ed

Unit 4 부사 p.019

Check-up 1

1 early
2 happily
3 very
4 too
5 Suddenly

해석

1 그녀는 일찍 일어난다.
2 그 영화는 행복하게 결말을 맺었다.
3 그는 매우 잘 생겼다.
4 그 버스는 너무 늦게 도착했다.
5 갑자기 누군가가 소리쳤다.

해설

1 early는 get up(동사)을 수식
2 happily는 ended(동사)를 수식
3 very는 handsome(형용사)을 수식
4 too는 late(형용사)를 수식
5 Suddenly는 문장 전체를 수식

Check-up 2

1	regularly	2	carefully
3	luckily	4	comfortably
5	gently		

해석

1 규칙적인 → 규칙적으로
2 조심스러운 → 조심스럽게
3 운 좋은 → 운 좋게
4 쾌적한 → 쾌적하게
5 온화한 → 온화하게

해설

1~2 대부분의 형용사: 형용사+-ly
3 -y로 끝나는 형용사: y → i+-ly
4~5 -e로 끝나는 형용사: e를 빼고+-ly

STEP 1

1	really, easy	2	pretty, big
3	very, fluently	4	too, hard

해설

1 really는 easy(형용사)를 수식
2 pretty(꽤, 제법)는 big(형용사)을 수식
3 very는 fluently(부사)를 수식
4 too는 hard(부사)를 수식

STEP 2

1	a. kind	b. kindly
2	a. serious	b. seriously
3	a. well	b. good
4	a. easily	b. easy

해석

1 a. 그는 친절하다.
b. 그녀는 친절하게 말했다.
2 a. 그들은 심각해 보인다.
b. 그는 심각하게 대답했다.
3 a. 그는 노래를 매우 잘한다.
b. 그는 훌륭한 가수다.
4 a. 그녀는 경기를 쉽게 이겼다.
b. 그 문제는 쉬웠다.

해설

1 a. kind(형용사): 주격 보어
b. kindly(부사): spoke(동사) 수식
2 a. angry(형용사): 주격 보어
b. angrily(부사): answered(동사)를 수식
3 a. good(형용사): singer(명사) 수식
b. well(부사): sings(동사) 수식
4 a. easily(부사): won(동사) 수식
b. easy(형용사): 주격 보어

STEP 3

1 My parents exercise regularly.
2 She is really good at math.
3 They live happily together.
4 My brother is very quiet.

해설

1 부사 regularly가 동사 exercise를 수식
2 부사 really가 형용사 good을 수식
3 부사 happily가 동사 live를 수식
4 부사 very가 형용사가 quiet를 수식

Unit 5 빈도부사 p.021

Check-up 1

1	often listens	2	sometimes go
3	is always	4	are usually
5	will never go		

해석

1 우리 엄마는 라디오를 자주 듣는다.
2 그들은 가끔 하이킹하러 간다.
3 그는 늘 회의에 늦는다.
4 우리 오빠들은 보통 방과 후 집에 있다.
5 나는 다시는 거기에 가지 않을 것이다.

해설

1~2 빈도부사는 일반동사 앞에 놓임
3~4 빈도부사는 be동사 뒤에 놓임
5 빈도부사는 조동사 뒤에 놓임

Check-up 2

1 ① 2 ① 3 ② 4 ② 5 ②

해석

1 나는 친구들과 자주 영화를 보러 간다.
2 그는 보통 점심 식사 후 산책을 나간다.
3 Peterson 부인은 우리 부모님에게 늘 친절하시다.
4 우리 아버지는 절대로 저녁 식사에 맞춰 집에 오시지 않는다.
5 우리는 가끔씩 외식할 수 있다.

해설
1~2 빈도부사는 일반동사 앞에 놓임
3~4 빈도부사는 be동사 뒤에 놓임
5 빈도부사는 조동사 뒤에 놓임

STEP 1

1 always, walks
2 never, eats
3 are, usually
4 is, sometimes
5 will, often, keep
6 can, never, complete

해석
1 그는 학교에 걸어서 간다.
→ 그는 언제나 학교에 걸어서 간다.
2 우리 언니는 생선을 먹는다.
→ 우리 언니는 생선을 절대 먹지 않는다.
3 그들은 조심스럽다.
→ 그들은 보통 조심스럽다.
4 Lucy는 바쁘다.
→ Lucy는 가끔 바쁘다.
5 나는 일기를 쓸 것이다.
→ 나는 자주 일기를 쓸 것이다.
6 너는 이 프로젝트를 마칠 수 있다.
→ 너는 절대 이 프로젝트를 마칠 수 없다.

해설
1~2 빈도부사는 일반동사 앞에 놓임
3~4 빈도부사는 be동사 뒤에 놓임
5~6 빈도부사는 조동사 뒤에 놓임

STEP 2

1 He never wears neckties.
2 She is always helpful.
3 We can often play badminton.
4 Jenny sometimes calls her grandmother.
5 The store is usually open until 10.
6 Brad often gets up late in the morning.

해석
1 그는 넥타이를 맨다.
→ 그는 전혀 넥타이를 매지 않는다.
2 그녀는 도움이 된다.
→ 그녀는 늘 도움이 된다.
3 우리는 배드민턴을 칠 수 있다.
→ 우리는 자주 배드민턴을 칠 수 있다.
4 Jenny는 할머니에게 전화를 건다.
→ Jenny는 가끔 할머니에게 전화를 건다.
5 그 가게는 10시까지 문을 연다.
→ 그 가게는 보통 10시까지 문을 연다.
6 Brad는 아침에 늦게 일어난다.
→ Brad는 아침에 자주 늦게 일어난다.

해설
1, 4, 6 빈도부사는 일반동사 앞에 놓임
2, 5 빈도부사는 be동사 뒤에 놓임
3 빈도부사는 조동사 뒤에 놓임

STEP 3

1 Kevin is always on time.
2 She sometimes has a hamburger.
3 They often have a picnic.
4 Tom usually wears a cap.
5 I can never remember his name.
6 My uncle is usually busy.

해설
1, 6 빈도부사는 be동사 뒤에 놓임
2~4 빈도부사는 일반동사 앞에 놓임
5 빈도부사는 조동사 뒤에 놓임

STEP 4

1 I always wear a black jacket.
2 We usually finish work at 5.
3 They can often go to the movies.
4 He sometimes plays tennis after school.
5 My father never eats meat.
6 I will[I'll] never forget your kindness.

해설
1~2, 4~5 빈도부사는 일반동사 앞에 놓임
3, 6 빈도부사는 조동사 뒤에 놓임

Unit 6 주의해야 할 형용사와 부사 p.024

Check-up 1

1 a. fast b. fast
2 a. early b. early
3 a. late b. late
4 a. high b. high
5 a. pretty b. pretty
6 a. hard b. hard

해설

1 fast: 빠른; 빨리
2 early: 이른; 일찍
3 late: 늦은; 늦게
4 high: 높은; 높이
5 pretty: 예쁜; 꽤, 제법
6 hard: 어려운; 열심히

Check-up 2

1	too	2	either
3	too	4	either

해석

1 나는 음악을 좋아한다. 우리 오빠 역시 음악을 좋아한다.
2 그녀는 우유를 좋아하지 않고, 그녀의 여동생 역시 마찬가지다.
3 그는 목이 마르다. 나 역시 목마르다.
4 Bob은 개가 없다. Mark도 역시 개가 없다.

해설

1, 3 too(또한, 역시): 긍정문에서 쓰임
2, 4 either(또한, 역시): 부정문에서 쓰임

STEP 1

1	late	2	late
3	high	4	high
5	hard	6	hard
7	pretty	8	pretty

해설

1 late(늦은): 형용사
2 late(늦게): 부사
3 high(높은): 형용사
4 high(높이): 부사
5 hard(열심히): 부사
6 hard(어려운): 형용사
7 pretty(예쁜): 형용사
8 pretty(꽤, 제법): 부사

STEP 2

1	too	2	either
3	too	4	either

해석

1 나는 수학을 좋아하고 John도 수학을 좋아한다.
2 Tim은 집에 없고, 그의 형도 집에 없다.
3 나는 그 동아리에 가입했다. Mike도 그 동아리에 가입했다.
4 그녀는 수영을 못하고 그녀의 여동생도 수영을 못한다.

해설

1, 3 too(또한, 역시): 긍정문에서 쓰임
2, 4 either(또한, 역시): 부정문에서 쓰임

STEP 3

1	high	2	hard
3	pretty	4	late

해석

1 농구선수들은 높이 뛸 수 있다.
2 James는 시험을 대비해서 열심히 공부했다.
3 나의 수학 선생님은 꽤 좋으시다.
4 저 근로자들은 보통 늦게까지 일하지 않는다.

해설

1 high(높게): 부사
2 hard(열심히): 부사
3 pretty(꽤): 부사
4 late(늦게): 부사

STEP 4

1 The boy climbed high on the tree.
2 They arrived late.
3 The machine works very well.
4 He is pretty handsome.
5 It is a hard job.
6 Dave is an engineer, and his brother is, too.

해설

1 부사 high는 climbed(동사)를 수식
2 부사 late는 arrived(동사)를 수식
3 부사 very는 well(부사)을 수식, 또, well은 works(동사)를 수식
4 부사 pretty는 handsome(형용사)을 수식
5 형용사 hard는 job(명사)을 수식
6 too(또한, 역시): 긍정문에서 쓰임

STEP 5

1 My grandmother is well.
2 The movie is pretty good.
3 She works very hard.
4 The fence is too high.
5 I won't be late again.
6 I don't like the song, and she doesn't (like the song), either.

해설

1 well(건강한): 주격보어 형용사
2 pretty(꽤, 제법): good을 수식하는 부사
3 hard(열심히): works를 수식하는 부사
4 high(높은): 주격보어 형용사
5 late(늦은): 주격보어 형용사
6 either(또한, 역시): 부정문에서 쓰임

도전! 만점! 중등 내신 단답형&서술형 p.027

1 hard
2 well
3 red something → something red
4 too → either
5 exciting
6 disappointed
7 kindly
8 (1) Many (2) much
9 (1) some (2) any
10 (1) a few (2) a little
11 His bag is pretty heavy.
12 She sings very beautifully.
13 He is always kind to me.
14 They will never leave the place.
15 The forest is very thick.
16 I have few friends in this neighborhood.
17 There is[There's] little money in my wallet.
18 I need a little[some] information about it.
19 ④ greatly → great
20 He always wears blue shoes.

해석 & 해설

1
They study hard. (동사를 수식하는 부사)
The cheese is very hard. (주격보어 형용사)

2
He doesn't feel well. (주격보어 형용사)
She sings very well. (동사를 수식하는 부사)

3
나는 저기에 빨간 무언가가 보인다.
-thing으로 끝나는 대명사는 형용사가 뒤에서 수식

4
Peter는 피아노를 못 치고, 나도 마찬가지다.
too는 긍정문에서, either는 부정문에서 쓰임

5
그 이야기는 흥미진진했다.
감정동사+-ing: 감정을 일으키는 주체에 대해 쓰임

6
우리는 그 뉴스에 실망했다.
감정동사+-ed: 감정을 느끼는 주체에 대해 쓰임

7
그 선생님은 그 단어를 친절하게 설명하셨다.
부사 kindly: 동사 explained 수식

8
(1) 많은 사람들이 그 박물관에 방문한다.
(2) 우리는 시간이 많이 없다.
many는 가산 복수 명사 수식, much는 불가산명사 수식

9
(1) 나는 오렌지 주스를 조금 마셨다.
(2) 여러분은 질문이 있으신가요?
some은 긍정문, any는 부정문, 의문문에서 쓰임

10
(1) 그는 작년에 나라 몇 군데를 방문했다.
(2) 그릇에 수프가 조금 있다.
a few는 가산 복수명사 수식, a little은 불가산명사 수식

11
pretty(꽤, 제법)는 형용사 heavy를 수식하는 부사

12
very(매우)는 부사 beautifully를 수식
beautifully(아름답게)는 동사 sings를 수식하는 부사

13~14
빈도부사는 be동사, 조동사 뒤에 놓임

15
thick(울창한)이 주어(The forest)를 보충 설명

16
few: 가산 복수 명사 수식, 부정의 의미

17
little: 불가산명사 수식, 부정의 의미

18
a little: 불가산명사 수식, 긍정의 의미

19~20

A: 도와드릴까요?

B: 네, 다음 주가 우리 형 생일인데, 그를 위한 ① 좋은 선물을 찾고 있어요. 조깅에 ② 유용한 것이 있나요?

A: 이 육상화는 어떠신가요? 이것은 정말 ③ 편하답니다.

B: ④ 좋아 보이네요. 그런데 ⑤ 파란색으로 있나요? ⓐ그는 늘 파란 신발을 신어요.

A: 물론이죠. 사이즈가 몇인가요?

B: 275나 280이에요.

19

④는 They에 대한 보어가 되어야 하므로 형용사로 수정

20

빈도부사는 일반동사 앞에 놓임

Chapter 8 비교

Unit 1 비교급과 최상급의 형태 – 규칙 변화 p.030

Check-up

1 brighter, brightest
2 larger, largest
3 braver, bravest
4 thinner, thinnest
5 sadder, saddest
6 lovelier[more lovely], loveliest[most lovely]
7 tastier, tastiest
8 more serious, most serious
9 more amazing, most amazing
10 more useful, most useful

해석

1 밝은 – 더 밝은 – 가장 밝은
2 큰 – 더 큰 – 가장 큰
3 용감한 – 더 용감한 – 가장 용감한
4 얇은 – 더 얇은 – 가장 얇은
5 슬픈 – 더 슬픈 – 가장 슬픈
6 사랑스러운 – 더 사랑스러운 – 가장 사랑스러운
7 맛있는 – 더 맛있는 – 가장 맛있는
8 심각한 – 더 심각한 – 가장 심각한
9 놀라운 – 더 놀라운 – 가장 놀라운
10 유용한 – 더 유용한 – 가장 유용한

해설

1 대부분의 경우: -er, -est를 붙임
2~3 -e로 끝나는 경우: -r, -st를 붙임
4~5 「단모음+단자음」으로 끝나는 경우: 자음을 한 번 더 쓰고 -er, -est를 붙임
6~7 「자음+-y」로 끝나는 경우: y를 i로 바꾸고 -er, -est를 붙임
8~10 -ful, -ing, -ed, -ous 등으로 끝나는 2~3음절 이상의 단어의 경우: more+원급, most+원급

STEP 1

1 b. sharper c. sharpest
2 b. easier c. easiest
3 b. thinner c. thinnest
4 b. more famous c. most famous

해설

1 대부분의 경우: -er, -est를 붙임

2 「자음+-y」로 끝나는 경우: y를 i로 바꾸고 -er, -est를 붙임
3 「단모음+단자음」으로 끝나는 경우: 자음을 한 번 더 쓰고 -er, -est를 붙임
4 -ful, -ing, -ed, -ous 등으로 끝나는 2~3음절 이상의 단어의 경우: more+원급, most+원급

STEP 2

1	youngest	2	lightest
3	oldest	4	safer
5	thinner	6	bigger
7	dirtier	8	most difficult

해설
1~3 대부분의 경우: -er, -est를 붙임
4 -e로 끝나는 경우: -r, -st를 붙임
5~6 「단모음+단자음」으로 끝나는 경우: 자음을 한 번 더 쓰고 -er, -est를 붙임
7 「자음+-y」로 끝나는 경우: y를 i로 바꾸고 -er, -est를 붙임
8 3음절 이상의 단어의 경우: more+원급, most+원급

STEP 3

1 This is the nicest color.
2 I need a larger backpack.
3 This dress is prettier.
4 The balloon is getting bigger.
5 You should drive more slowly in fog.
6 Who is the oldest person in the world?

해설
1~2 -e로 끝나는 경우: -r, -st를 붙임
3 「자음+-y」로 끝나는 경우: y를 i로 바꾸고 -er, -est를 붙임
4 「단모음+단자음」으로 끝나는 경우: 자음을 한 번 더 쓰고 -er, -est를 붙임
5 「형용사+-ly」의 부사의 경우: more+원급, most+원급
6 대부분의 경우: -er, -est를 붙임

STEP 4

1 This room is warmer.
2 Please speak more slowly. [Speak more slowly, please.]
3 Seven is the luckiest number.
4 Which one is the cheapest?
5 This website has more useful information.
6 This is the most special moment of my life.

해설
1,4 대부분의 경우: -er, -est를 붙임
2 「형용사+-ly」의 부사의 비교급: more+원급
3 「자음+-y」로 끝나는 경우: y를 i로 바꾸고 -er, -est를 붙임
5~6 -ful, -ing, -ed, -ous 등으로 끝나는 2~3음절 이상의 단어의 경우: most+원급

Unit 2 비교급과 최상급의 형태 - 불규칙 변화형 p.033

Check-up 1

1 more 2 worst 3 better

해설
1 more: 더 많은
2 worst: 가장 나쁜, 최악의
3 better: 더 건강한

Check-up 2

1	better, best	2	more, most
3	less, least	4	better, best
5	worse, worst	6	worse, worst
7	more, most		

해석
1 건강한 – 더 건강한 – 가장 건강한
2 많은 – 더 많은 – 가장 많은
3 적은 – 더 적은 – 가장 적은
4 좋은 – 더 좋은 – 가장 좋은
5 나쁜 – 더 나쁜 – 가장 나쁜
6 아픈 – 더 아픈 – 가장 아픈
7 많은 – 더 많은 – 가장 많은

해설
1 well – better – best (불규칙 변화)
2 many – more – most (불규칙 변화)
3 little – less – least (불규칙 변화)
4 good – better – best (불규칙 변화)
5 bad – worse – worst (불규칙 변화)
6 ill – worse – worst (불규칙 변화)
7 much – more – most (불규칙 변화)

STEP 1

1	a. good	b. better	c. best
2	a. bad	b. worse	c. worst
3	a. many	b. more	c. most

해설

1 good - better - best (불규칙 변화)
2 bad - worse - worst (불규칙 변화)
3 many - more - most (불규칙 변화)

STEP 2

1 best	2 worse	3 most
4 worst	5 better	6 less, more

1 good - better - best (불규칙 변화)
2 ill - worse - worst (불규칙 변화)
3 much - more - most (불규칙 변화)
4 bad - worse - worst (불규칙 변화)
5 well - better - best (불규칙 변화)
6 little - less - least, much - more - most (불규칙 변화)

STEP 3

1 His schoolwork got worse.
2 The weather is getting better.
3 She is eating less these days.
4 That was the worst day of my life.
5 He is spending more time with his children.
6 Who ate the most?

해설

1 bad - worse - worst (불규칙 변화)
2 well - better - best (불규칙 변화)
3 little - less - least (불규칙 변화)
4 bad - worse - worst (불규칙 변화)
5~6 much - more - most (불규칙 변화)

STEP 4

1 This is the best song on the album.
2 She is a little better today.
3 He owns the most expensive building in the city.
4 Please tell me more.
5 I spend the least (money) on food.
6 His flu got worse.

해설

1 good - better - best (불규칙 변화)
2 well - better - best (불규칙 변화)
3~4 much - more - most (불규칙 변화)
5 little - less - least (불규칙 변화)
6 bad - worse - worst (불규칙 변화)

Unit 3 원급을 이용한 비교 표현

p.036

Check-up 1

1 tall	2 new	3 fast
4 beautiful	5 expensive	

해석

1 나는 우리 언니만큼 키가 크다.
2 그의 휴대전화는 내 것만큼이나 새것이다.
3 Kelly는 나만큼 빨리 달릴 수 있다.
4 그들의 집은 Kate의 집만큼 아름답다.
5 내 신발은 그녀의 것만큼 비싸다.

해설

1~5 as+원급+as: ~만큼 …한[하게]

Check-up 2

1 cold	2 old	3 boring

해설

1 as+원급+as: ~만큼 …한[하게]

STEP 1

1 as, heavy, as	2 as, loud, as
3 as, tall, as	4 as, hard, as

해설

1~4 as+원급+as: ~만큼 …한[하게]

STEP 2

1 not, as[so], healthy, as
2 not, as[so], important, as
3 not, as[so], big, as
4 can't, as[so], fast, as

해설

1~4 not as[so]+원급+as: ~만큼 …하지 않은[않게]

STEP 3

1 My room is not[isn't] as[so] large as my sister's.
2 I am[I'm] not as[so] good at tennis as my brother.
3 She does not[doesn't] get up as[so] early as I do.

해석

1 내 방은 우리 언니 방만큼 크다.
내 방은 우리 언니 방만큼 크지 않다.

2 나는 우리 형만큼 테니스를 잘한다.
나는 우리 형만큼 테니스를 잘하지 못한다.

3 그녀는 나만큼 일찍 일어난다.
그녀는 나만큼 일찍 일어나지 않는다.

해설

1~2 be동사 뒤에 not을 씀

3 일반동사가 있고, 주어가 3인칭 단수이며, 시제가 현재이므로 does not[doesn't]을 씀

STEP 4

1 She is as polite as Chris.
2 Mary is not so smart as Jane.
3 I can jump as high as Tom.
4 He practices the piano as hard as me.
5 Paul can't speak Chinese as fluently as Willy.
6 Volleyball is as fun as basketball.

해설

1, 3~4, 6 as+원급+as: ~만큼 …한[하게]

2, 5 not as[so]+원급+as: ~만큼 …하지 않은[않게]

STEP 5

1 The red sofa is as comfortable as the black one (is).
2 Ruby is not[isn't] as[so] hard as diamond (is).
3 She can play the violin as well as Jerry (can).
4 Simon eats as much as Jake (does).
5 I do not[don't] like sports as[so] much as John (does).
6 Tony is not[isn't] as clever as his brother.

해설

1, 3~4 as+원급+as: ~만큼 …한[하게]

2, 6 not as[so]+원급+as: ~만큼 …하지 않은[않게] (be동사 뒤에 not을 씀)

5 not as[so]+원급+as: ~만큼 …하지 않은[않게] (현재시제인 일반동사가 있고, 주어가 1인칭이므로 do not[don't]를 씀)

Unit 4 비교급을 이용한 비교 표현 p.039

Check-up 1

1 younger　　2 heavier
3 faster　　4 more convenient
5 than　　6 much

해석

1 그녀는 나보다 어리다.
2 이 상자는 저 상자보다 훨씬 더 무겁다.
3 그의 차는 내 것만큼 빨리 달릴 수 있다.
4 이메일은 편지보다 더 편리하다.
5 나는 우리 언니보다 더 많이 먹는다.
6 이 나라에서 축구가 농구보다 훨씬 더 인기가 많다.

해설

1~5 형용사/부사의 비교급+than+비교 대상: ~보다 …한[하게]

6 very는 비교급을 수식할 수 없음

Check-up 2

1 thicker　　2 smarter
3 bigger　　4 fatter
5 heavier　　7 more difficult
7 more quickly

해석

1 이 책이 저 책보다 더 두껍다.
2 Nancy는 Sally보다 훨씬 더 똑똑하다.
3 태양은 지구보다 더 크다.
4 내 남동생은 나보다 훨씬 더 뚱뚱하다.
5 이 가방은 저 가방보다 더 무겁다.
6 마지막 문제는 첫 문제보다 더 어렵다.
7 나는 David보다 더 빨리 먹었다.

해설

1~7 형용사/부사의 비교급+than+비교 대상: ~보다 …한[하게]

STEP 1

1 far, stronger, than
2 more, expensive, than
3 more, exciting, than
4 much, earlier, than
5 better, than

해설

1~5 형용사/부사의 비교급+than+비교 대상: ~보다 …한[하게]

STEP 2

1 taller than
2 cleaner than
3 thinner than
4 more expensive than

해석

1 오른쪽에 있는 건물이 왼쪽에 있는 건물보다 더 높다.
2 우리 언니의 방은 내 방보다 더 깨끗하다.
3 여자아이가 남자아이보다 더 말랐다.
4 코트가 스웨터보다 더 비싸다.

해설

1~4 형용사/부사의 비교급+than+비교 대상: ~보다 …한[하게]

STEP 3

1 That boy is a lot taller than me.
2 Sue's hair is shorter than Lisa's.
3 He is more popular than his brother.
4 The blue skirt is more expensive than the yellow skirt.
5 I walk far more slowly than Paul.
6 The cheetah is faster than the lion.

해설

1, 5 far, a lot, much, even, still+형용사/부사의 비교급+than+비교 대상: ~보다 훨씬 …한[하게]
2~4, 6 형용사/부사의 비교급+than+비교 대상: ~보다 …한[하게]

STEP 4

1 I am braver than him[he is].
2 Violins are smaller than cellos (are).
3 This singer is even more famous than that actor (is).
4 She gets up earlier than me[I do].
5 We can speak English much better than them[they can].
6 Today is warmer than yesterday.

해설

1~2, 4, 6 형용사/부사의 비교급+than+비교 대상: ~보다 …한[하게]
3, 5 far, a lot, much, even, still+형용사/부사의 비교급+than+비교 대상: ~보다 훨씬 …한[하게]

Unit 5 최상급을 이용한 비교 표현 p.042

Check-up 1

1	tallest	2	hottest
3	easiest	4	best
5	largest	6	most expensive

해석

1 이 건물은 우리 도시에서 가장 높다.
2 오늘은 이번 달 중 가장 더운 날이다.
3 이것은 모든 문제 중에서 제일 쉽다.
4 James는 그의 팀에서 가장 훌륭한 선수이다.
5 세계에서 가장 큰 국가는 무엇인가요?
6 이것이 이 가게에서 가장 비싸다.

해설

1~6 the + 최상급: 가장 ~하다

Check-up 2

1	of	2	in	3	of
4	in	5	of	6	in

해석

1 Sam은 모든 소년들 중 가장 키가 크다.
2 내 책상은 이 교실에서 제일 새것이다.
3 붉은색 집이 3채의 집들 중 가장 크다.
4 에베레스트 산은 세계에서 가장 높다.
5 치타는 모든 육지 동물 중 가장 빠르다.
6 Angela는 그 방에서 제일 작은 소녀이다.

해설

1, 3, 5 최상급 문장에서 복수명사(비교 대상) 앞에서는 of를 씀
2, 4, 6 최상급 문장에서 단수명사(장소, 단체) 앞에서는 in을 씀

STEP 1

1 the, cheapest
2 the, best
3 the, most, crowded
4 the, most, popular

해설

1~4 최상급 앞에는 정관사 the를 씀

STEP 2

1 the richest (man) in my village
2 the deepest (ocean) of all oceans
3 the funniest (friend) of all my friends
4 the most intelligent (person) in the group

해설

1, 4 최상급 문장에서 단수명사(장소, 단체) 앞에서는 in을 씀
2, 3 최상급 문장에서 복수명사(비교 대상) 앞에서는 of를 씀

STEP 3

1 the tallest
2 the heaviest
3 Bob, the oldest
4 John, the youngest

해석

1 John은 세 명 중 가장 키가 크다.
2 Tom은 세 명 중 가장 몸무게가 무겁다.
3 Bob은 세 명 중 가장 나이가 많다.
4 John은 세 명 중 가장 나이가 어리다.

해설

1 John은 셋 중에서 가장 키가 크므로 tallest
2 Tom은 셋 중에서 가장 무게가 많이 나가므로 heaviest
3 Bob은 셋 중에서 가장 나이가 많으므로 oldest
4 John은 셋 중에서 가장 젊으므로 youngest

STEP 4

1 The Amazon is the longest of all rivers.
2 Who is the oldest person in the world?
3 Seoul is the largest city in Korea.
4 Sam is the lightest student in my class.
5 He is the most handsome of all the actors in the movie.
6 This is the most difficult of all the questions.

해설

1, 5~6 최상급+of+복수명사(비교 대상)
2~4 최상급+in+단수명사(장소, 단체)

STEP 5

1 What is the highest bridge in the world?
2 He is the youngest of the boys.
3 This ring is the most expensive in the store.
4 This place is the smallest village in the city.
5 The black cat is the fattest of the six.
6 My room is the darkest in my house.

해설

1, 3~4, 6 최상급+in+단수명사(장소, 단체)
2, 5 최상급+of+복수명사(비교 대상)

도전! 만점! 중등 내신 단답형&서술형

p.045

1 saddest
2 easier
3 worse
4 older, than
5 more, expensive, than
6 the, longest
7 Paul, the, oldest, of
8 Jack, the, lightest, of
9 Sam, the, tallest, of
10 Sam, the, youngest, of
11 Today is as cold as yesterday.
12 His room is much bigger than mine.
13 Tom drives more carefully than Sam.
14 This is the most interesting story in the book.
15 That white dog is the biggest of my dogs.
16 This summer is not[isn't] as[so] hot as last summer.
17 My house is as large as hers.
18 The blue book is much thicker than the red book.
19 The black pants are more expensive than the blue jeans.
20 The white ruler is the longest of the three.

해석 & 해설

1
「단모음+단자음」으로 끝나는 경우: 자음을 한 번 더 쓰고 -est를 붙임

2
「자음+-y」로 끝나는 경우: y를 i로 바꾸고 -er을 붙임

3
bad의 비교급: worse

4~5
형용사/부사의 비교급+than+비교 대상: ~보다 …한[하게]

6
long의 최상급: the longest

7
Paul은 그 세 명의 소년 중 가장 나이가 많다.
old의 최상급: the oldest
최상급 문장에서 복수명사(비교 대상) 앞에서는 of를 씀

8

Jack은 그 세 명의 소년 중 몸무게 가장 적게 나간다.

light의 최상급: the lightest

9

Sam은 그 세 명의 소년 중 가장 키가 크다.

tall의 최상급: the tallest

10

Sam은 그 세 명의 소년 중 가장 어리다.

young의 최상급: the youngest

11

as+원급+as: ~만큼 …한[하게]

12

much+형용사/부사의 비교급+than+비교 대상: ~보다 훨씬 …한[하게]

13

형용사/부사의 비교급+than+비교 대상: ~보다 …한[하게]

14

최상급 문장에서 단수명사(장소, 단체) 앞에서는 in을 씀

15

최상급 문장에서 복수명사(비교 대상) 앞에서는 of를 씀

16

not as [so]+원급+as: ~만큼 …하지 않은[않게]

17

as+원급+as: ~만큼 …한[하게]

18

- 빨간 책은 100페이지이다.
- 파란 책은 200페이지이다.

파란 책이 빨간 책보다 훨씬 더 두껍다.

much+형용사/부사의 비교급+than+비교 대상: ~보다 훨씬 …한[하게]

19

- 청바지는 30달러이다.
- 검은색 바지는 40달러이다.

검은색 바지가 청바지보다 더 비싸다.

형용사/부사의 비교급+than+비교 대상: ~보다 …한[하게]

20

- 파란색 자는 20센티미터이다.
- 빨간색 자는 30센티미터이다.
- 흰색 자는 60센티미터이다.

흰색 자가 3개 중 가장 길다.

최상급 문장에서 복수명사(비교 대상) 앞에서는 of를 씀

Chapter 9 문장의 구조

Unit 1 문장의 기본 구성 요소 p.048

Check-up

1	I	2	They
3	He	4	Sam
5	This book	6	flew
7	is	8	tastes
9	read	10	made
11	sports	12	a letter
13	vegetables	14	Chinese
15	fish	16	handsome
17	sad	18	good
19	Peter	20	happy

해석

1 나는 의사가 되었다.
2 그들은 스페인어를 말한다.
3 그는 일기를 쓴다.
4 Sam은 두 권의 책을 썼다.
5 이 책은 재미있다.
6 새 한 마리가 나무 위로 날아갔다.
7 김 선생님은 집에 계신다.
8 그 수프는 맛이 짜다.
9 그녀는 어제 책을 읽었다.
10 나는 쿠키를 만들었다.
11 Mike는 스포츠를 좋아한다.
12 그녀는 편지를 썼다.
13 그는 채소를 샀다.
14 그녀는 중국어를 말한다.
15 곰 한마리가 물고기를 잡고 있다.
16 Tom은 잘생겼다.
17 이 노래는 슬프다.
18 그 스테이크는 좋은 향이 난다.
19 그들은 그를 Peter라고 부른다.
20 그의 딸은 그를 행복하게 한다.

해설

1 주어: I, 동사: became, 보어: a doctor
2 주어: They, 동사: speak, 목적어: Spanish
3 주어: He, 동사: keeps, 목적어: a diary
4 주어: Sam, 동사: wrote, 목적어: two books
5 주어: This book, 동사: is, 보어: fun
6 주어: A bird, 동사: flew, 수식어구: over a tree
7 주어: Mr. Kim, 동사: is, 수식어구: at home

8 주어: The soup, 동사: tastes, 보어: salty
9 주어: She, 동사: read, 목적어: a book, 수식어구: yesterday
10 주어: I, 동사: made, 목적어: some cookies
11 주어: Mike, 동사: loves, 목적어: sports
12 주어: She, 동사: wrote, 목적어: a letter
13 주어: He, 동사: bought, 목적어: vegetables
14 주어: She, 동사: speaks, 목적어: Chinese
15 주어: A bear, 동사: is catching, 목적어: fish
16 주어: Tom, 동사: is, 보어: handsome
17 주어: This song, 동사: is, 보어: sad
18 주어: The steak, 동사: smells, 보어: good
19 주어: They, 동사: call, 목적어: him, 목적격보어: Peter
20 주어: His daughter, 동사: makes, 목적어: him, 목적격보어 happy

STEP 1

1	Shakespeare	2	She
3	The book	4	A friend
5	He	6	His favorite subject
7	The little boy	8	My sister
9	The computer	10	It

해석

1 Shakespeare는 위대한 희곡을 썼다.
2 그녀는 한국어를 매우 잘한다.
3 그 책은 책상 위에 있다.
4 한 친구가 어젯밤 나에게 전화했다.
5 그는 추웠다.
6 그가 가장 좋아하는 과목은 수학이다.
7 그 어린 소년은 배가 고팠다.
8 우리 언니는 피아노를 치고 있다.
9 그 컴퓨터는 작동하지 않는다.
10 비가 세차게 내렸다.

해설

1 주어: Shakespeare, 동사: wrote, 목적어: great plays
2 주어: She, 동사: can speak, 목적어: Korean, 수식어구: very well
3 주어: The book, 동사: is, 수식어구: on the desk
4 주어: A friend, 동사: called, 목적어: me, 수식어구: last night
5 주어: He, 동사: felt, 보어: cold
6 주어: His favorite subject, 동사: is, 보어: math
7 주어: The little boy, 동사: was, 보어: hungry
8 주어: My sister, 동사: is playing, 목적어: the piano
9 주어: The computer, 동사: doesn't work
10 주어: It, 동사: rained, 수식어구: heavily

STEP 2

1	swims	2	drank
3	is	4	will be
5	tastes	6	gave
7	made	8	smell
9	is studying	10	can fix

해석

1 Peter는 매우 빠르게 수영을 한다.
2 그녀는 주스를 조금 마셨다.
3 그 가수는 인기 있다.
4 그는 내년에 10살이 될 것이다.
5 그 파스타는 맛이 좋다.
6 우리 부모님은 나에게 선물을 주셨다.
7 그 영화는 우리를 웃게 만들었다.
8 그 쿠키는 좋은 향기가 난다.
9 Tim은 방에서 영어를 공부하고 있다.
10 그는 그 기계를 고칠 수 있다.

해설

1 주어: Peter, 동사: swims, 수식어구: very fast
2 주어: She, 동사: drank, 목적어: some juice
3 주어: The singer, 동사: is, 보어: popular
4 주어: He, 동사: will be, 보어: 10, 수식어구: next year
5 주어: The pasta, 동사: tastes, 보어: delicious
6 주어: My parents, 동사: gave, 간접목적어: me, 직접목적어: a gift
7 주어: The movie, 동사: made, 목적어: us, 목적격보어 laugh
8 주어: The cookies, 동사: smell, 보어: good
9 주어: Tim, 동사: is studying, 목적어: English, 수식어구: in his room
10 주어: He, 동사: can fix, 목적어: the machine

STEP 3

1	Lucy	2	warm
3	a nurse	4	bad
5	strange	6	Peter
7	a lawyer	8	clean
9	excited	10	fun

해석

1 그녀의 이름은 Lucy이다.
2 그 물은 따뜻하다.
3 Lisa는 간호사가 되었다.
4 우유는 상한 냄새가 난다.
5 그 고기는 이상한 맛이 난다.

6 그들은 아들을 Peter라고 이름 지었다.
7 그의 아버지는 그를 변호사로 만들었다.
8 나는 그 테이블을 깨끗하게 유지했다.
9 그 경기는 우리를 흥분시켰다.
10 그녀는 그 이야기가 재미있다고 생각했다.

해설

1 주어: Her name, 동사: is, 보어: Lucy
2 주어: The water, 동사: is, 보어: warm
3 주어: Lisa, 동사: became, 보어: a nurse
4 주어: The milk, 동사: smells, 보어: bad
5 주어: The meat, 동사: tastes, 보어: strange
6 주어: They, 동사: named, 목적어: their son, 목적격보어: Peter
7 주어: His father, 동사: made, 목적어: him, 목적격보어: a lawyer
8 주어: I, 동사: kept, 목적어: the table, 목적격보어: clean
9 주어: The game, 동사: made, 목적어: us, 목적격보어: excited
10 주어: She, 동사: found, 목적어: the story, 목적격보어: fun

STEP 4

1 water
2 chocolate
3 the story
4 a Christmas gift
5 science
6 fruit
7 soccer
8 a mistake
9 a book
10 some pictures

해석

1 그 기린은 물을 마셨다.
2 그녀는 초콜릿을 좋아한다.
3 그는 그 이야기를 믿는다.
4 그 소녀는 크리스마스 선물을 원한다.
5 나는 고등학교에서 과학을 가르친다.
6 우리는 과일을 매우 좋아한다.
7 그들은 방과 후에 축구를 했다.
8 그 코치는 어제 실수를 했다.
9 Bob은 책을 읽고 있다.
10 Tom은 사진을 좀 찍었다.

해설

1 주어: The giraffe, 동사: drank, 목적어: water
2 주어: She, 동사: loves, 목적어: chocolate
3 주어: He, 동사: believes, 목적어: the story
4 주어: The girl, 동사: wants, 목적어: a Christmas gift
5 주어: I, 동사: teach, 목적어: science, 수식어구: at a high school
6 주어: We, 동사: like, 목적어: fruit, 수식어구: very much
7 주어: They, 동사: played, 목적어: soccer, 수식어구: after school
8 주어: The coach, 동사: made, 목적어: a mistake, 수식어구: yesterday
9 주어: Bob, 동사: is reading, 목적어: a book
10 주어: Tom, 동사: took, 목적어: some pictures

STEP 5

1 The birds are singing.
2 His uncle is very kind.
3 My father bought a car.
4 She gave me a book.
5 He named his daughter Nancy.
6 I will send him a letter.

해설

1 주어: The birds, 동사: are singing
2 주어: His uncle, 동사: is, 보어: very kind
3 주어: My father, 동사: bought, 목적어: a car
4 주어: She, 동사: gave, 간접목적어: me, 직접목적어: a book
5 주어: He, 동사: named, 목적어: his daughter, 목적격보어: Nancy
6 주어: I, 동사: will send, 간접목적어: him, 직접목적어: a letter

STEP 6

1 Tom lives in Paris.
2 My grandfather looks healthy.
3 They can speak Italian.
4 I love my grandparents.
5 She keeps her room clean.
6 The chef can make him a pizza.

해설

1 주어: Tom, 동사: lives, 수식어구: in Paris
2 주어: My grandfather, 동사: looks, 보어: healthy
3 주어: They, 동사: can speak, 목적어: Italian
4 주어: I, 동사: love, 목적어: my grandparents
5 주어: She, 동사: keeps, 목적어: her room, 목적격보어: clean
6 주어: The chef, 동사: can make, 간접목적어: him, 직접목적어: a pizza

Unit 2 주어+동사(1형식) p.051

Check-up 1

1 The train left.
s v

2 He can swim.
s v

3 A cheetah is running.
s v

4 Tom dances well.
s v

5 The children were playing at 5.
s v

6 The store is across the street.
s v

7 Kevin was at the library.
s v

8 Michael lives in Washington.
s v

해석

1 그 열차는 떠났다.
2 그는 수영을 할 수 있다.
3 한 마리의 치타가 달리고 있다.
4 Tom은 춤을 잘 춘다.
5 그 아이들은 5시에 놀고 있었다.
6 그 가게는 길 건너에 있다.
7 Kevin은 도서관에 있었다.
8 Michael은 워싱턴에 살고 있다.

해설

1~8 우선 be동사, 일반동사, 조동사 등을 잘 파악하여 동사를 찾고 그 앞에 놓인 명사(구)를 주어로 표시

Check-up 2

1 There is
2 There are
3 There was
4 There were
5 Are there
6 Was there

해설

1, 3 There is[was]+단수명사
2, 4 There are[were]+복수명사
5 의문문: Are there+복수명사 ~?
6 의문문 Was there+단수명사 ~?

STEP 1

1 A man sang.
2 Jack and I ran.
3 Her parents exercise
4 His dog barks
5 There are paintings
6 There was a tree

해설

1 주어: A man, 동사: sang
2 주어: Jack and I, 동사: ran
3 주어: Her parents, 동사: exercise
4 주어: His dog, 동사: barks
5 동사: are, 주어: paintings, There are[were]+복수명사
6 동사: was, 주어: a tree, There is[was]+단수명사

STEP 2

1 He, eats
2 She, walks
3 Some, students, are
4 I, am, cooking
5 There, is, a, melon
6 There, are, some, books

해설

1 주어: He, 동사: eats
2 주어: She, 동사: walks
3 주어: Some students, 동사: are
4 주어: I, 동사: am cooking
5 동사: is, 주어: a melon, There is[was]+단수명사
6 동사: are, 주어: some books, There are[were]+복수명사

STEP 3

1 The bus is coming.
2 The cat is sleeping.
3 An apple fell from the tree.
4 A helicopter flew over the building.
5 There are some kids on the playground.
6 The class will begin soon.

해설

1 주어: The bus, 동사: is coming
2 주어: The cat, 동사: is sleeping
3 주어: An apple, 동사: fell, 수식어구: from the tree

4 주어: A helicopter, 동사: flew, 수식어구: over the building
5 동사: are, 주어: some kids, 수식어구: on the playground, There are[were]+복수명사
6 주어: The class, 동사: will begin, 수식어구: soon

STEP 4

1 The Earth goes around the Sun.
2 The first train leaves at 5:30 in the morning.
3 There is a cell phone under the bed.
4 They are running in the park.
5 She is waiting at the bus stop.
6 Some seals are swimming in the water.

해설

1 주어: The Earth, 동사: goes, 수식어구: around the Sun
2 주어: The first train, 동사: leaves, 수식어구: at 5:30, 수식어구: in the morning
3 동사: is, 주어: a cell phone, 수식어구: under the bed, There is[was]+단수명사
4 주어: They, 동사: are running, 수식어구: in the park
5 주어: She, 동사: is waiting, 수식어구: at the bus stop
6 주어: Some seals, 동사: are swimming, 수식어구: in the water

Unit 3 주어+동사+보어(2형식) p.054

Check-up 1

1 Mike(S) is(V) my son(C).
2 He(S) became(V) a teacher(C).
3 I(S) feel(V) hungry(C).
4 Dr. Smith(S) is(V) a great scientist(C).
5 She(S) is(V) a very smart person(C).
6 Jack and I(S) are(V) close friends(C).
7 My favorite subject(S) is(V) math(C).
8 The girl(S) looks(V) young(C).

해석

1 Mike는 내 아들이다.
2 그는 선생님이 되었다.
3 나는 배가 고프다.
4 Smith 박사는 훌륭한 과학자이다.
5 그녀는 매우 똑똑한 사람이다.
6 Jack과 나는 가까운 친구다.
7 내가 가장 좋아하는 과목은 수학이다.
8 그 소녀는 어려 보인다.

해설

1~8 「주어+동사+보어」의 어순이며 보어 자리에는 명사나 형용사가 위치

Check-up 2

1 famous
2 sharp
3 good
4 like a nice person
5 like a good idea

해석

1 그녀는 유명해졌다.
2 그 칼은 날카로워 보인다.
3 그 치킨 수프는 좋은 냄새가 난다.
4 그는 좋은 사람 같아 보인다.
5 그것은 좋은 생각처럼 들린다.

해설

1~3 부사는 보어 역할을 할 수 없음
4~5 감각동사+like+명사

STEP 1

1 windy
2 sunny
3 happy
4 tired
5 sad

해석

1 어제는 바람이 불었다.
2 밖은 화창하다.
3 그녀는 행복해 보인다.
4 그는 피곤하다.
5 그들은 슬퍼 보인다.

해설

1 wind(바람) → windy(바람이 부는)
2 sun(태양) → sunny(화창한)
3 happiness(행복) → happy(행복한)
4 tire(피곤하게 하다) → tired(피곤한)
5 sadness(슬픔) → sad(슬픈)

STEP 2

1 a. looks b. looks like
2 a. sounds b. sounds like
3 a. tastes b. tastes like
4 a. smells b. smells like

해석

1 a. 그녀는 그 블라우스를 입어 예뻐 보인다.
b. 그녀는 자신의 엄마를 닮았다.
2 a. 그 계획은 훌륭한 것 같다.
b. 그것은 훌륭한 계획 같다.
3 a. 그 소스는 너무 짠 맛이 난다.
b. 이 음식은 초콜릿 맛이 난다.
4 a. 그 우유는 상한 냄새가 난다.
b. 그 비누는 꽃향기가 난다.

해설

1~4 감각동사+형용사, 감각동사+like+명사

STEP 3

1 O
2 O
3 exciting
4 silent
5 strange
6 like a friendly man

해석

1 그는 소방관이 되었다.
2 그녀는 인기가 높아졌다.
3 그 영화는 신났다.
4 그들은 조용해 있었다.
5 이 기계는 이상해 보인다.
6 그는 친근한 사람처럼 보인다.

해설

1~2 명사 또는 형용사는 보어로 쓰임
3~4 부사는 보어 역할을 할 수 없음
5~6 감각동사+형용사, 감각동사+like+명사

STEP 4

1 Those flowers are tulips.
2 You will be a famous actor.
3 He became a great pianist.
4 The story sounds very familiar.
5 I felt like a fool.
6 The baby looks like an angel.

해설

1~6 「주어+동사+보어(형용사/명사)」의 어순으로 배열

STEP 5

1 He feels dizzy now.
2 John looks very busy.
3 This smells like leather.
4 This cake tastes like cherry.
5 Leaves turn red and yellow in fall.

해설

1~2 감각동사+형용사
3~4 감각동사+like+명사
5 turn+형용사: ~로 변하다

Unit 4 주어+동사+목적어(3형식) p.057

Check-up 1

1 I (S) have (V) a friend (O).
2 The girl (S) loves (V) flowers (O).
3 They (S) missed (V) the last train (O).
4 Tom (S) has (V) two dogs and a cat (O).
5 He (S) had (V) a nightmare (O) last night.
6 Tim (S) eats (V) an apple (O) every morning.
7 He (S) wrote (V) a letter (O) to his aunt.

해석

1 나는 친구가 한 명 있다.
2 그 소녀는 꽃을 좋아한다.
3 그들은 마지막 열차를 놓쳤다.
4 Tom은 개 두 마리와 고양이 한 마리가 있다.
5 그는 지난밤 악몽을 꿨다.
6 Tim은 매일 아침 사과를 먹는다.
7 그는 이모에게 편지를 썼다.

해설

1~7 「주어+동사+목적어」의 어순이며 목적어 자리에 명사가 위치

Check-up 2

1 help 2 kindness 3 meeting
4 sadness 5 truth

해석

1 우리는 당신의 도움을 원하지 않아요.
2 James는 그의 반 친구들에게 친절함을 베풀었다.
3 그들은 회의를 일찍 끝냈다.

4 그 소식은 우리 가족에게 슬픔을 가져다주었다.
5 너는 나에게 사실을 숨기고 있어.

해설

1~5 목적어는 형용사나 동사가 아닌 명사가 쓰임

STEP 1

1 wants	2 likes	3 has
4 know	5 play	6 plant

해설

1~6 우리말에 맞는 단어를 고르고 주어가 3인칭 단수고 현재시제일 경우 동사에 -s를 추가하고 조동사 뒤에는 원형을 씀

STEP 2

1 has a house
2 drinks milk
3 makes pasta
4 meet him
5 answered the phone
6 didn't see her

해설

1 동사: has, 목적어: a house
2 동사: drinks, 목적어: milk
3 동사: makes, 목적어: pasta
4 동사: meet, 목적어: him
5 동사: answered, 목적어: the phone
6 동사: didn't see, 목적어: her

STEP 3

1 He caught a large fish today.
2 She bought a new pen yesterday.
3 Tony will get good grades.
4 She didn't bring her umbrella today.
5 The store sells shoes and bags.
6 I read detective novels.

해설

1 주어: He, 동사: caught, 목적어: a large fish, 수식어구: today
2 주어: She, 동사: bought, 목적어: a new pen, 수식어구: yesterday
3 주어: Tony, 동사: will get, 목적어: good grades
4 주어: She, 동사: didn't bring, 목적어: her umbrella, 수식어구: today
5 주어: The store, 동사: sells, 목적어: shoes and bags
6 주어: I, 동사: read, 목적어: detective novels

STEP 4

1 Clean your room now.
2 I watch the show every Sunday.
3 My father believes the story.
4 My mother likes classical music.
5 She doesn't drink coffee.
6 Mr. Kim teaches history at a high school.

해설

1 동사: Clean, 목적어: your room, 수식어구: now
2 주어: I, 동사: watch, 목적어: the show, 수식어구: every Sunday
3 주어: My father, 동사: believes, 목적어: the story
4 주어: My mother, 동사: likes, 목적어: classical music
5 주어: She, 동사: doesn't drink, 목적어: coffee
6 주어: Mr. Kim, 동사: teaches, 목적어: history, 수식어구: at a high school

Unit 5 주어+동사+간접목적어+직접목적어(4형식) p.060

Check-up 1

1 Lisa / gave / me / a gift. (S / V / IO / DO)
2 Tom / sent / us / a card. (S / V / IO / DO)
3 She / showed / us / some photos. (S / V / IO / DO)
4 He / bought / his wife / a ring. (S / V / IO / DO)
5 I / told / the children / a funny story. (S / V / IO / DO)
6 They / asked / her / some questions. (S / V / IO / DO)
7 He / brought / me / a chair. (S / V / IO / DO)

해석

1 Lisa는 나에게 선물을 주었다.
2 Tom은 우리에게 카드를 보냈다.
3 그녀는 우리에게 사진을 좀 보여줬다.
4 그는 자신의 아내에게 반지를 사 줬다.
5 나는 그 아이들에게 재미있는 이야기를 해줬다.
6 그들은 그녀에게 몇 가지 질문을 했다.
7 그는 나에게 의자를 사줬다.

해설

1~7 「주어+동사+간접목적어+직접목적어」의 어순

Check-up 2

1 for 2 to 3 for
4 of 5 to

해석

1 Jim 삼촌은 나에게 생일 선물을 사주셨다.
2 웨이터는 우리에게 계산서를 주었다.
3 James는 자신의 여동생에게 나무집을 만들어 주었다.
4 그 리포터는 우리에게 이상한 질문을 했다.
5 Peter는 나에게 자신의 차를 빌려주었다.

해설

1~5 4형식 구조의 문장에서 간접목적어 앞에 전치사는 불필요

STEP 1

1 sent 2 teaches
3 gave 4 show
5 told 6 lent

해설

1 send(보내다) → sent(과거형)
2 teach(가르치다) → teaches(3인칭 단수 현재형)
3 give(주다) → gave(과거형)
4 show(보여주다) → show(명령문-동사원형)
5 tell(말하다) → told(과거형)
6 lend(빌려주다) → lent(과거형)

STEP 2

1 her the price
2 him a glass
3 her kids a story
4 her daughter cookies
5 Julie a package
6 me a bicycle

해설

1 간접목적어: her, 직접목적어: the price
2 간접목적어: him, 직접목적어: a glass
3 간접목적어: her kids, 직접목적어: a story
4 간접목적어: her daughter, 직접목적어: cookies
5 간접목적어: Julie, 직접목적어: a package
6 간접목적어: me, 직접목적어: a bicycle

STEP 3

1 My sister told me good news.
2 I sent him a long text message.
3 Ms. Park teaches her students music.
4 She lent me some money.
5 He often makes his friends meals.
6 Adam bought his niece a doll on her birthday.

해설

1 주어: My sister, 동사: told, 간접목적어: me, 직접목적어: good news
2 주어: I, 동사: sent, 간접목적어: him, 직접목적어: a long text message
3 주어: Ms. Park, 동사: teaches, 간접목적어: her students, 직접목적어: music
4 주어: She, 동사: lent, 간접목적어: me, 직접목적어: some money
5 주어: He, 수식어구: often, 동사: makes, 간접목적어: his friends, 직접목적어: meals
6 주어: Adam, 동사: bought, 간접목적어: his niece, 직접목적어: a doll, 수식어구: on her birthday

STEP 4

1 He passed her the ball.
2 My grandmother made me mittens.
3 The reporters asked him many questions.
4 I will tell them the truth.
5 She sent me an email yesterday.
6 He brought her a bag this afternoon.

해설

1 주어: He, 동사: passed, 간접목적어: her, 직접목적어: the ball
2 주어: My grandmother, 동사: made, 간접목적어: me, 직접목적어: mittens
3 주어: The reporters, 동사: asked, 간접목적어: him, 직접목적어: many questions
4 주어: I, 동사: will tell, 간접목적어: them, 직접목적어: the truth
5 주어: She, 동사: sent, 간접목적어: me, 직접목적어: an email, 수식어구: yesterday
6 주어: He, 동사: brought, 간접목적어: her, 직접목적어: a bag, 수식어구: this afternoon

Unit 6 문장의 전환: 4형식 → 3형식

p.063

Check-up 1

1 me her necklace
2 her necklace to me
3 his students ice cream
4 ice cream for his students
5 me a question
6 a question of me

해석

1~2 우리 할머니는 나에게 목걸이를 주셨다.
3~4 그는 자신의 학생들에게 아이스크림을 사 줬다.
5~6 그녀는 나에게 질문을 했다.

해설

1~6 4형식 문장에서는 전치사가 필요 없고, 4형식 문장을 3형식 문장으로 바꿀 때 전치사는 간접목적어 앞에 놓임

Check-up 2

1 to 2 for 3 of

해석

1 그는 어제 나에게 이야기를 읽어줬다.
2 Ken은 자신의 부모님에게 집을 지어주고 있다.
3 한 노인이 나에게 길을 물었다.

해설

1 read가 쓰인 4형식 문장을 3형식으로 바꿀 때 전치사 to를 사용
2 build가 쓰인 4형식 문장을 3형식으로 바꿀 때 전치사 for를 사용
3 ask가 쓰인 4형식 문장을 3형식으로 바꿀 때 전치사 of를 사용

STEP 1

1 to me 2 to Mark
3 for us 4 of him

해석

1 Bill은 나에게 돈을 좀 빌려줬다.
2 그녀는 Mark에게 사탕을 좀 줬다.
3 우리 아버지는 우리에게 뮤지컬 표를 사 주셨다.
4 선생님은 그에게 어려운 질문을 했다.

해설

1~2 lend, give가 쓰인 4형식 문장을 3형식으로 바꿀 때 전치사 to를 사용
3 get이 쓰인 4형식 문장을 3형식으로 바꿀 때 전치사 for를 사용
4 ask가 쓰인 4형식 문장을 3형식으로 바꿀 때 전치사 of를 사용

STEP 2

1 our bill to us
2 a nice hat for my father
3 a toy car for his son
4 a question of the speaker

해설

1 bring이 쓰인 4형식 문장을 3형식으로 바꿀 때 전치사 to를 사용
2 buy, make가 쓰인 4형식 문장을 3형식으로 바꿀 때 전치사 for를 사용
3 ask가 쓰인 4형식 문장을 3형식으로 바꿀 때 전치사 of를 사용

STEP 3

1 Joy sent a thank-you card to me.
2 John bought a scarf for her.
3 They built a library for the children.
4 He asked an important question of her.

해석

1 Joy는 나에게 감사 카드를 보냈다.
2 John은 그녀에게 스카프를 사 줬다.
3 그들은 아이들을 위해 도서관을 지었다.
4 그는 그녀에게 중요한 질문을 했다.

해설

1 send, tell이 쓰인 4형식 문장을 3형식으로 바꿀 때 전치사 to를 사용
2~3 buy, build가 쓰인 4형식 문장을 3형식으로 바꿀 때 전치사 for를 사용
4 ask가 쓰인 4형식 문장을 3형식으로 바꿀 때 전치사 of를 사용

STEP 4

1 He lent his car to us for the weekend.
2 Kevin sent a present to me yesterday.
3 My brother is building a nest for the birds.
4 He will make a bed for his grandmother.
5 He often asks personal questions of me.
6 My aunt got concert tickets for me.

해설

1~6 「주어+동사+직접목적어+전치사+간접목적어」의 어순으로 배열

STEP 5

1 He will not[won't] tell his secret to her.
2 Tom often buys lunch for me.
3 She sometimes writes emails to her friends.
4 He found my glasses for me.
5 She showed a beautiful picture to us.
6 They asked some questions of my parents.

해설

1, 3, 5 tell, write, show이 쓰인 3형식 문장에서는 전치사 to를 사용
2, 4 buy, find가 쓰인 3형식 문장에서는 전치사 for를 사용
6 ask가 쓰인 3형식 문장에서는 전치사 of를 사용

Unit 7 주어+동사+목적어+목적격보어(5형식) p.066

Check-up 1

1 They / call / the man / Nick. (S / V / O / OC)
2 He / named / his son / John. (S / V / O / OC)
3 The song / made / him / a star. (S / V / O / OC)
4 The gifts / made / me / happy. (S / V / O / OC)
5 He / keeps / his room / tidy. (S / V / O / OC)
6 He / named / his cat / Tom. (S / V / O / OC)
7 The movie / made / me / bored. (S / V / O / OC)

해석

1 그들은 그 남자를 Nick이라고 부른다.
2 그는 아들에게 John이라는 이름을 지었다.
3 그 곡은 그를 스타로 만들었다.
4 그 선물은 나를 행복하게 만들었다.
5 그는 자신의 방을 깔끔하게 유지한다.
6 그는 자신의 고양이에게 Tom이라는 이름을 붙였다.
7 그 영화는 나를 지루하게 만들었다.

해설

1~7 「주어+동사+목적어+목적격보어」의 어순

Check-up 2

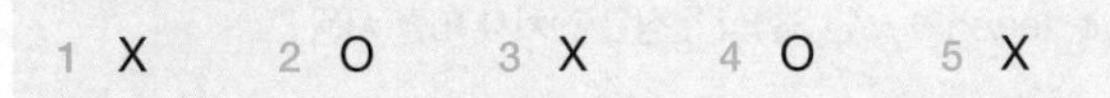
1 X 2 O 3 X 4 O 5 X

해석

1 Sanders 씨는 불행해 보였다.
2 우리는 그를 우리들의 주장으로 선출했다.
3 나의 엄마는 나에게 많은 돈을 보내주셨다.
4 그 영화는 관객을 슬프게 만들었다.
5 그 의사는 그 환자에게 희망을 주었다.

해설

1 「주어+동사+보어」 → 2형식
2, 4 「주어+동사+목적어+목적격보어」 → 5형식
3 「주어+동사+간접목적어+직접목적어」 → 4형식
5 「주어+동사+목적어」 → 3형식

STEP 1

1 called 2 made
3 found 4 kept

해설

1 call(부르다) → called(과거형)
2 make(만들다) → made(과거형)
3 find(생각하다) → found(과거형)
4 keep(유지하다) → kept(과거형)

STEP 2

1 me a soccer player
2 him a genius
3 her the class leader
4 the song sad

해설

1 목적어: me, 목적격보어: a soccer player
2 목적어: him, 목적격보어: a genius
3 목적어: her, 목적격보어: the class leader
4 목적어: the song, 목적격보어: sad

STEP 3

1 famous 2 difficult
3 angry 4 warm

해석

1 그녀는 그를 유명하게 만들었다.
2 나는 그 시험이 어렵다고 생각했다.
3 그들은 나를 화나게 했다.
4 그 뜨거운 코코아는 나를 따뜻하게 해줬다.

해설

1, 3 부사는 목적격보어로 쓰일 수 없음
2, 4 문맥상 목적어를 수식할 수 있는 형용사가 필요

STEP 4

1 You can call me Jerry.
2 They named their baby Ben.
3 My father made me a musician.
4 She found the question easy.
5 The food made me sick.
6 I always keep the bathroom clean.

해설

1 주어: You, 동사: can call, 목적어: me, 목적격보어: Jerry
2 주어: They, 동사: named, 목적어: their baby, 목적격보어: Ben
3 주어: My father, 동사: made, 목적어: me, 목적격보어: a musician
4 주어: She, 동사: found, 목적어: the question, 목적격보어: easy
5 주어: The food, 동사: made, 목적어: me, 목적격보어: sick
6 주어: I, 수식어구: always, 동사: keep, 목적어: the bathroom, 목적격보어: clean

STEP 5

1 We call the river the Nile.
2 He named his dog Fuzzy.
3 She found the food healthy.
4 The movie made the village famous.
5 This coffee will keep you awake.
6 My family made me a scientist.

해설

1 주어: We, 동사: call, 목적어: the river, 목적격보어: the Nile
2 주어: He, 동사: named, 목적어: his dog, 목적격보어: Fuzzy
3 주어: She, 동사: found, 목적어: the food, 목적격보어: healthy
4 주어: The movie, 동사: made, 목적어: the village, 목적격보어: famous
5 주어: This coffee, 동사: will keep, 목적어: you, 목적격보어: awake
6 주어: My family, 동사: made, 목적어: me, 목적격보어: a scientist

도전! 만점! 중등 내신 단답형&서술형 p.069

1 looks
2 rises
3 find
4 to
5 for
6 to → of
7 freshly → fresh
8 Korean the students → the students Korean[Korean to the students]
9 sounds like, sounds
10 smells, smells like
11 There are two pens in my bag.
12 The song makes me happy.
13 Tom looks like a fashion model.
14 I made a delicious cake for the kids.
15 The teacher told an interesting story to his students.
16 My teacher asked a question of me.
17 My friends call me Tony.
18 She bought him a nice meal.
19 ① for ② for ③ to
20 delicious

해석 & 해설

1

그는 저 정장을 입으면 멋져 보인다.
look+형용사: ~해 보이다

2

태양은 동쪽에서 뜬다.
rise: 목적어나 보어가 필요 없는 1형식 동사

3

나는 그 수업이 재미있다고 생각한다.
find+목적어+목적격보어: ~가 ~라고 생각하다

4

• 그녀는 그에게 펜을 줬다.
• 그는 우리에게 과학을 가르친다.
give, teach가 쓰인 3형식 문장은 전치사 to를 사용

5

• 그녀는 엄마에게 모자를 만들어 줬다.
• 나는 여동생에게 식사를 만들어 줬다.
make, cook이 쓰인 3형식 문장은 전치사 for를 사용

6

Paul은 나에게 몇 가지 질문을 했다.

ask가 쓰인 3형식 문장은 전치사 of를 사용

7

그 사과는 맛이 신선하다.

taste+형용사: ~한 맛이 나다

8

그는 학생들에게 한국어를 가르친다.

4형식: 주어+동사+A(간접목적어)+B(직접목적어)

= 3형식: 주어+동사+B+전치사(to/for/of)+A

9

- 그것은 좋은 생각 같다.
- 그 아이디어는 훌륭한 것 같다.

지각동사+like+명사

지각동사+형용사

10

- 그 꽃은 악취가 난다.
- 그 수프는 치즈 냄새가 난다.

지각동사+like+명사

지각동사+형용사

11

There are+복수명사 ~: ~가 있다

12

주어: The song, 동사: makes, 목적어: me, 목적격보어: happy

13

look like+명사: ~처럼 보이다

14

나는 아이들에게 맛있는 케이크를 만들어 줬다.

make가 쓰인 4형식 문장을 3형식으로 바꿀 때 전치사 for를 사용

15

그 선생님은 학생들에게 흥미로운 이야기를 해주셨다.

tell이 쓰인 4형식 문장을 3형식으로 바꿀 때 전치사 to를 사용

16

ask+A(간접목적어)+B(직접목적어): ~에게 ~를 묻다

= ask+B+of+A

17

주어: My friends, 동사: call, 목적어: me, 목적격보어 Tony

18

주어: She, 동사: bought, 간접목적어: him, 직접목적어: a nice meal

19~20

A: 야, 뭐하니?

B: 나는 엄마를 위해 스테이크를 만들고 있어. 오늘이 엄마 생일이거든.

A: 아. 스테이크는 정말 맛있는 냄새가 난다. 너희 엄마를 위해 선물도 샀니?

B: 응, 나는 엄마에게 목걸이를 드릴 거야. 아버지는 엄마에게 반지를 드릴 거야.

A: 와, 너의 엄마는 참 행복하시겠다!

19

make, buy가 쓰인 3형식 문장은 전치사 for를 사용, give가 쓰인 3형식 문장은 전치사 to를 사용

20

smell+형용사: ~한 냄새가 나다

Chapter 10 to부정사와 동명사

Unit 1 to부정사의 명사적 쓰임 p.072

Check-up 1

1 주어 2 주어 3 보어
4 목적어 5 목적격보어

해석

1 수영은 건강에 좋다.
2 스노보드를 타는 것은 재미있다.
3 내 계획은 체중을 감량하는 것이다.
4 그는 카메라를 사고 싶다.
5 나는 네가 나를 도와주기를 바란다.

해설

1 주어: To swim, 동사: is
2 가주어: It, 진주어: to ride a snowboard
3 주어: My plan, 동사: is, 보어: to lose weight
4 주어: He, 동사: wants, 목적어: to buy a camera
5 주어: I, 동사: want, 목적어: you, 목적격보어: to help me

Check-up 2

1 to, read 2 to, leave 3 to, learn
4 me, to, apologize

해설

1 동사: love, 목적어: to read
2 동사: decided, 목적어: to leave
3 동사: hopes, 목적어: to learn English
4 동사: wants, 목적어: me, 목적격보어: to apologize

STEP 1

1 To, ride 2 to, play 3 to, write
4 to, play 5 to, bring 6 to, be

해석

1 말을 타는 것은 신이 난다.
2 축구를 하는 것은 재미있다.
3 그의 업무는 보고서를 쓰는 것이다.
4 그녀는 보드게임하는 것을 좋아한다.
5 그는 내가 그 사진을 가져오기를 바란다.
6 그의 부모님은 그가 변호사가 되기를 바란다.

해설

1 주어: To ride a horse, 동사: is, 보어: exciting
2 가주어: It, 진주어: to play soccer
3 주어: His job, 동사: is, 보어: to write reports
4 주어: She, 동사: likes, 목적어: to play board games
5 주어: He, 동사: wants, 목적어: me, 목적격보어: to bring the photo
6 주어: His parents, 동사: want, 목적어: him, 목적격보어: to be a lawyer

STEP 2

1 want, to, drink 2 likes, to, try
3 plans, to, return 4 hope, to, study

해설

1 동사: want, 목적어: to drink
2 동사: likes, 목적어: to try
3 동사: plans, 목적어: to return
4 동사: hope, 목적어: to study

STEP 3

1 to be, my father to be
2 to exercise, us to exercise
3 to leave, him to leave
4 to play, me to play

해설

1~4 A want to부정사: A가 ~하기를 바라다
A want B(목적격) to부정사: A는 B가 ~하기를 바라다

STEP 4

1 It is dangerous to walk on icy roads.
2 They decided to visit London.
3 Her dream is to be a writer.
4 I hope to see you there.
5 He wants us to live with him.
6 We don't want to move to Seoul.

해설

1 가주어: It, 진주어: to walk on icy roads
2 주어: They, 동사: decided, 목적어: to visit London
3 주어: Her dream, 동사: is, 보어: to be a writer
4 주어: I, 동사: hope, 목적어: to see you there
5 주어: He, 동사: wants, 목적어: us, 목적격보어: to live with him
6 주어: We, 동사: don't want, 목적어: to move to Seoul

STEP 5

1 It is[It's] fun to ride a bicycle.
2 We love to jog in the park.
3 My homework is to write an essay.
4 She wants me to listen to her.
5 I did not[didn't] expect to see him at the party.
6 She does not[doesn't] want to be a singer.

해설

1 가주어: It 진주어: to ride a bicycle
2 주어: We, 동사: love, 목적어: to jog in the park
3 주어: My homework, 동사: is, 보어: to write an essay
4 주어: She, 동사: wants, 목적어: me, 목적격보어: to listen to her
5 주어: I, 동사: didn't expect, 목적어: to see him at the party
6 주어: She, 동사: doesn't want, 목적어: to be a singer

Unit 2 to부정사의 부사적, 형용사적 쓰임 p.075

Check-up 1

1 목적 2 목적 3 목적
4 감정의 원인 5 감정의 원인

해석

1 그녀는 여기에 작별 인사하러 왔다.
2 나는 버스를 잡기 위해 달렸다.
3 그들은 산책하려고 공원에 갔다.
4 그는 너를 만나서 반가웠다.
5 저는 그 안 좋은 소식을 듣게 되어서 슬픕니다.

해설

1 to say good-bye: 작별 인사하기 위하여 (목적)
2 to catch the bus: 버스를 잡으려고 (목적)
3 to take a walk: 산책을 하려고 (목적)
4 to see you: 당신을 만나서 (감정의 원인)
5 to hear the bad news: 나쁜 소식을 들어서 (감정의 원인)

Check-up 2

1 I have something to say.
2 He brought some bread to eat.
3 Seoul has many places to visit.
4 They have a lot of work to do.

해석

보기 일어날 시간이다.

1 나는 할 말이 있다.
2 그는 먹을 빵을 좀 샀다.
3 서울은 갈 곳이 많다.
4 그들은 할 일이 많다.

해설

1 to say: something 수식
2 to eat: some bread 수식
3 to visit: many places 수식
4 to do: a lot of work 수식

STEP 1

1 to buy some oranges
2 to lose weight
3 to study English
4 to watch a comedy show

해설

1 to buy some oranges: 오렌지 몇 개를 사기 위해 (목적)
2 to lose weight: 체중을 줄이기 위해 (목적)
3 to study English: 영어를 공부하려고 (목적)
4 to watch a comedy show: 코미디 프로그램을 보기 위해 (목적)

STEP 2

1 happy, to, win 2 excited, to, watch
3 surprised, to, hear 4 shocked, to, see

해설

1 to win the prize: 행복한(happy) 원인
2 to watch the game: 신이 난(excited) 원인
3 to hear the story: 놀란(surprised) 원인
4 to see the picture: 놀란(shocked) 원인

STEP 3

1 time to rest
2 two people to invite
3 time to go to bed
4 some money to lend you

해설

1 to rest: time 수식 (형용사적 용법)
2 to invite: two people 수식 (형용사적 용법)
3 to go to bed: time 수식 (형용사적 용법)
4 to lend you: some money 수식 (형용사적 용법)

STEP 4

1 He goes to the gym every day in order to stay healthy.
2 She studies hard in order to enter the university.
3 I bought eggs in order to make cookies.
4 She called him in order to have lunch with him.
5 Tim visited New York in order to see his grandparents.

해석

1 그는 헬스클럽에 매일 간다. 그는 건강하기를 원한다. → 그는 건강 유지를 위해 매일 헬스클럽에 간다.
2 그녀는 열심히 공부한다. 그녀는 그 대학에 들어가기를 원한다. → 그녀는 그 대학에 들어가기 위해 열심히 공부한다.
3 나는 계란을 샀다. 나는 쿠키를 만들고 싶다. → 나는 쿠키를 만들기 위해 계란을 샀다.
4 그녀는 그에게 전화했다. 그녀는 그와 점심을 먹고 싶었다. → 그녀는 그와 점심을 먹기 위해 전화했다.
5 Tim은 뉴욕에 방문했다. 그는 조부모님이 뵙고 싶었다. → Tim은 조부모님을 뵙기 위해 뉴욕에 방문했다.

해설

1~5 목적을 나타내는 to부정사 = in order to+동사원형

STEP 5

1 I am[I'm] glad to hear the story.
2 He gets up early (in order) to take the train.
3 She has to buy flour (in order) to make bread.
4 They are[They're] happy to see their aunt.
5 The boy has many friends to play with.
6 It is[It's] time to say good-bye.

해설

1 to hear the story: 그 이야기를 들어서 (부사적 용법: 감정의 원인)
2 (in order) to take the train: 기차를 타려고 (부사적 용법: 목적)
3 (in order) to make bread: 빵을 만들려고 (부사적 용법: 목적)
4 to see their aunt: 고모를 만나서 (부사적 용법: 감정의 원인)
5 to play with: many friends 수식 (형용사적 용법)
6 to say good-bye: time 수식 (형용사적 용법)

Unit 3 동명사

p.078

Check-up 1

1	주어	2	보어
4	동사의 목적어	5	전치사의 목적어

해석

1 수영하기는 재미있다.
2 내 취미는 우표를 수집하는 것이다.
3 우리 아버지는 노래 부르기를 즐기신다.
4 James는 만드는 것을 잘한다.

해설

1 주어: Swimming, 동사: is, 보어: very fun
2 주어: My hobby, 동사: is, 보어: collecting stamps
3 주어: My father, 동사: enjoys, 목적어: singing
4 making things: at의 목적어

Check-up 2

1	가르치는 것	2	에세이를 쓰는 것
3	작곡을 하는 것	4	뜨개질하기
5	식사 준비하는 것	6	테니스 치기

해설

1 Teaching: 주어
2 Writing an essay: 주어
3 making songs: 보어
4 knitting: enjoy의 목적어
5 preparing meals: finished의 목적어
6 playing tennis: at의 목적어

STEP 1

1	Skating	2	taking
3	listening	4	joining
5	being		

해석

1 스케이트 타기는 즐겁다.
2 그녀의 취미는 사진을 찍는 것이다.
3 나는 음악 듣기를 좋아한다.
4 그녀는 클럽에 가입하기를 포기했다.
5 늦어서 미안해.

해설

1 Skating: 주어
2 taking photos: 보어
3 listening to music: love의 목적어

4 joining the club: gave up의 목적어
5 being late: for의 목적어

STEP 2

1 loves, making 2 enjoys, watching
3 stop, crying 4 mind, opening
5 give, up, exercising

해설

1 동사: loves, 목적어: making plastic models
2 동사: enjoys, 목적어: watching musicals
3 동사: stop, 목적어: crying
4 동사: mind, 목적어: opening the window
5 동사: give up, 목적어: exercising

STEP 3

1 baking 2 solving 3 playing
4 reading 5 going

해석

1 우리 엄마는 쿠키 만들기를 즐긴다.
2 그들은 문제 풀기를 계속했다.
3 그 노인은 골프 치기를 좋아한다.
4 그는 신문 읽기를 끝냈다.
5 그 소녀는 병원에 가는 것을 싫어한다.

해설

1 동사: enjoys, 목적어: baking cookies
2 동사: kept, 목적어: solving the problems
3 동사: likes, 목적어: playing golf
4 동사: finished, 목적어: reading the newspaper
5 동사: hates, 목적어: going to the hospital

STEP 4

1 Studying hard is important.
2 My father gave up smoking.
3 It began raining again.
4 The boy is good at playing soccer.
5 Her favorite activity is listening to music.
6 She kept talking with him.

해설

1 studying hard: 주어
2 smoking: gave up의 목적어
3 raining: began의 목적어
4 playing soccer: at의 목적어
5 listening to music: 보어
6 talking with him: kept의 목적어

STEP 5

1 Skiing is fun.
2 My uncle's hobby is hiking.
3 Do you mind closing the door?
4 She'll[She will] give up losing weight.
5 Mike enjoys playing the guitar.
6 He likes taking pictures.

해설

1 Skiing: 주어
2 hiking: 보어
3 closing the door: mind의 목적어
4 losing weight: give up의 목적어
5 playing the guitar: enjoys의 목적어
6 taking pictures: likes의 목적어

Unit 4 to부정사와 동명사

p.081

Check-up 1

1 to wash 2 to join
3 painting 4 learning
5 to laugh, laughing
6 to listen, listening

해석

1 나는 내 손을 씻기를 원한다.
2 그는 클럽에 가입하기로 결정했다.
3 그들은 방 페인트칠을 끝냈다.
4 우리는 프랑스어를 배우는 것을 포기했다.
5 그녀는 웃기 시작했다.
6 우리 아버지는 클래식 음악을 듣는 것을 좋아한다.

해설

1~2 want, decide는 to부정사를 취함
3~4 finish, give up은 동명사를 취함
5~6 begin, love는 to부정사와 동명사를 둘 다 취함

Check-up 2

1 to talk 2 walking
3 snowing[to snow] 4 getting[to get]
5 to rest

해설

1 would like는 to부정사를 취함
2 keep은 동명사를 취함
3 start는 to부정사와 동명사를 둘 다 취함
4 hate는 to부정사와 동명사를 둘 다 취함
5 stop+to부정사: ~하려고 (하던 일을) 멈추다

STEP 1

1 hope to meet
2 expects to get
3 would like to visit
4 keeps blowing
5 stop eating
6 stop to eat

해설

1 hope는 to부정사를 취함
2 expect는 to부정사를 취함
3 would like는 to부정사를 취함
4 keep은 동명사를 취함
5 stop+동명사: ~하기를 멈추다
6 stop+to부정사: ~하려고 (하던 일을) 멈추다

STEP 2

1 It started to snow.
2 My little brother hates to do his homework.
3 Your uncle loves to eat fast food.
4 I like playing volleyball.
5 They began cleaning the classroom.
6 The children started playing a game.

해석

1 눈이 내리기 시작했다.
2 내 어린 남동생은 숙제하는 것을 싫어한다.
3 너의 삼촌은 패스트푸드 먹기를 좋아하신다.
4 나는 배구하기를 좋아한다.
5 그들은 교실을 청소하기 시작했다.
6 그 아이들은 게임을 하기 시작했다.

해설

1~6 start, hate, love, like, begin은 to부정사와 동명사를 모두 취함

STEP 3

1 My sister decided to go to college.
2 I promised to help them.
3 The doctor finished checking my ears.
4 The ice started to melt.
5 The girl likes watching animations.
6 Would you like to have some pizza?

해설

1~6 「주어+동사+to부정사/동명사」의 어순으로 배열

STEP 4

1 They hope to visit Korea.
2 I expect to arrive there soon.
3 She loves playing[to play] the violin.
4 He enjoys playing table tennis.
5 Do you mind turning off the TV?
6 What do you want to be in the future?

해설

1~2, 6 hope, expect, want는 to부정사를 취함
3 love는 to부정사와 동명사를 모두 취함
4~5 enjoy, mind는 동명사를 취함

Unit 5 to부정사와 동명사의 관용표현 p.084

Check-up 1

1 too
2 so
3 so thick that
4 rich enough
5 enough money

해석

1 네 가방은 너무 무거워서 들고 다닐 수 없다.
2 그녀는 너무 약해서 그 상자를 들 수 없다.
3 안개가 너무 짙어서 나는 아무것도 볼 수 없다.
4 그는 스포츠카를 살 만큼 충분히 부자이다.
5 나는 새 컴퓨터를 살 만큼 충분한 돈이 있다.

해설

1~3 too+형용사/부사+to부정사 = so+형용사/부사+that ~ can't ~: 너무 ~해서 ~할 수 없다
4~5 enough의 위치: 형용사/부사 뒤, 명사 앞

Check-up 2

1 skiing　　2 fixing　　3 watching
4 inviting　　5 seeing

해설

1 go+-ing: ~하러 가다
2 be busy+-ing: ~하느라 바쁘다
3 feel like+-ing: ~하고 싶다
4 thank+사람+for+-ing: ~에게 ~에 대해 감사하다
5 look forward to+-ing: ~하기를 고대하다

STEP 1

1 too young to play
2 too expensive to buy
3 hot enough to boil
4 enough time to finish

해설

1~2 too+형용사/부사+to부정사: 너무 ~해서 ~할 수 없다
3 형용사/부사+enough+to부정사: ~할 만큼 충분히 ~한
4 enough는 명사 앞에 옴

STEP 2

1 feel, like, eating
2 is, busy, teaching
3 spend, many, hours, playing
4 looks, forward, to, going

해설

1 feel like+-ing: ~하고 싶다
2 be busy+-ing: ~하느라 바쁘다
3 spend+시간+-ing: ~하는 데 시간을 보내다
4 look forward to+-ing: ~하기를 고대하다

STEP 3

1 They work so slowly that they can't finish the work today.
2 He was so upset that he couldn't calm down.
3 I am too big to wear this shirt.
4 Tom was too tall to sleep in the bed.

해석

1 그들은 일을 너무 느리게 해서 오늘 그 일을 끝낼 수 없다.
2 그는 너무 화가 나서 진정할 수 없었다.
3 나는 너무 커서 이 셔츠를 입을 수 없다.
4 Tom은 키가 너무 커서 그 침대에서 잘 수 없다.

해설

1~4 too+형용사/부사+to부정사 = so+형용사/부사+that ~ can't ~: 너무 ~해서 ~할 수 없다

STEP 4

1 It's too late to go out.
2 The water is clean enough to drink.
3 I go jogging every morning.
4 She thanked him for helping her.
5 He spent 8 years studying abroad.
6 My sister had a hard time living in Japan.

해설

1 too+형용사/부사+to부정사: 너무 ~해서 ~할 수 없다
2 형용사/부사+enough+to부정사: ~할 만큼 충분히 ~하다
3 go+-ing: ~하러 가다
4 thank+사람+for +-ing: ~에게 ~에 대해 감사하다
5 spend+시간+-ing: ~하느라 시간을 보내다
6 have a hard time+-ing: ~하느라 힘든 시간을 보내다

STEP 5

1 My little sister is too young to read.
2 They have enough members to make a soccer team.
3 How about putting this table over there?
4 I feel like going for a walk.
5 We look forward to visiting London.
6 He is interested in buying a new car.

해설

1 too+형용사/부사+to부정사: 너무 ~해서 ~할 수 없다
2 enough는 명사 앞에 위치
3 how about+-ing: ~하는 것은 어때?
4 feel like+-ing: ~하고 싶다
5 look forward to+-ing: ~하기를 고대하다
6 be interested in+-ing: ~에 관심이 있다

도전! 만점! 중등 내신 단답형&서술형 p.087

1 feel, like, having
2 are, busy, studying
3 stopped, writing
4 finding out[to find out]
5 (in order) to catch
6 glad to hear
7 hope to watch
8 Would, like to eat
9 play → playing
10 to eat → eating
11 What do you want to be in the future?
12 I spent a few hours using the Internet.
13 She is rich enough to travel around the world.
14 Do you want something cold to drink?
15 It is difficult to pass the exam.
16 I am so busy that I can't talk to you right now.
17 He called me in order to ask some questions.
18 He looks forward to returning to his country.
[He's looking forward to returning to his country.]
19 She stopped to find some information.
20 I want him to join our club.

해석 & 해설

1
feel like+-ing: ~하고 싶다

2
be busy+-ing: ~하느라 바쁘다

3
stop+-ing: ~하기를 멈추다

4
A: 당신은 과학자가 되고 싶어요?
B: 네, 그래요. 나는 자연에 대한 것들을 발견하는 것을 좋아하거든요.
like는 to부정사와 동명사를 둘 다 취함

5
A: 너는 오늘 왜 그렇게 일찍 일어났니?
B: 첫 기차를 타려고 일찍 일어났어.
일찍 일어난 이유(목적)를 묻고 있으므로 목적을 나타내는 to부정사 표현이 적절

6
A: Tom은 퇴원했어. 그는 이제 괜찮아.
B: 그 말을 들으니 기쁘다.
to hear that: 그 말을 들으니 (감정의 원인)

7
A: 나는 새 액션 영화를 봤어. 정말 신이 났어.
B: 정말? 나도 그 영화를 곧 보고 싶다.
hope는 to부정사를 취함

8
A: 케이크 좀 먹을래?
B: 고마워. 맛있어 보인다.
would like는 to부정사를 취함
(Would you like+to부정사: ~하기를 원하니?)

9
오늘 오후에 테니스를 치는 것이 어때?
how about+-ing: ~하는 것은 어때?

10
그녀는 점심 때 혼자 먹는 것을 개의치 않는다.
mind는 동명사를 취함

11
want는 to부정사를 목적어로 취함

12
spend+시간+-ing: ~하느라 시간을 보내다

13
형용사/부사+enough+to부정사:
~할 만큼 충분히 ~하다

14
to drink: something cold를 수식 (형용사적 용법)

15
시험에 통과하는 것은 어렵다.
It: 가주어, to pass the exam: 진주어

16
나는 너무 바빠서 지금 당신과 이야기할 수 없어요.
too+형용사/부사+to부정사
= so+형용사/부사+that ~ can't ~:
너무 ~해서 ~할 수 없다

17
그는 나에게 질문 몇 가지를 하려고 전화했다.
목적을 나타내는 to부정사
= in order to+동사원형

18
look forward to+-ing: ~하기를 고대하다

19
stop+to부정사: ~하려고 (하던 일을) 멈추다

20
A want B(목적격) to부정사:
A는 B가 ~하기를 바라다

Chapter 11 전치사

Unit 1 장소를 나타내는 전치사 p.090

Check-up 1

1 in	2 at	3 on
4 on	5 at	6 in

해석
1 Paul은 서울에 있다.
2 그녀는 버스 정류장에 있다.
3 Brian은 버스를 타고 있다.
4 천장에 등이 있다.
5 모퉁이에서 왼쪽으로 돌아가세요.
6 그는 자신의 방에서 자고 있다.

해설
1 in: 도시, 나라 이름 앞
2, 5 at: 하나의 지점, 특정 목적이 있는 곳
3 on: 버스, 비행기, 기차 등을 탑승한
4 on: 접촉하고 있는 표면 앞
6 in: 특정 장소의 안쪽

Check-up 2

1 under	2 in front of
3 next to	4 between

해설
1 under: ~ 아래에
2 in front of: ~ 앞에
3 next to: ~ 옆에
4 between: ~ 사이에

STEP 1

1 in	2 at	3 on	4 at
5 in	6 on	7 in	8 at
9 in	10 at	11 on	12 in

해설
1 in: 도시나 나라 이름 앞
2, 4, 8, 10 at: 하나의 지점, 특정한 목적이 있는 곳
3, 6 on: ~ 위에, 표면에 접촉하여
5, 7, 9 in: 특정 장소의 안쪽
11 on: 비행기[버스, 기차, 배 …]를 탄
12 in: 택시, 자가용을 탄

STEP 2

1 under	2 over
3 in front of	4 behind
5 next to	6 between

해설
1 under: ~ 아래에
2 over: ~ 위에
3 in front of: ~ 앞에
4 behind: ~ 뒤에
5 next to: ~ 옆에
6 between: ~ 사이에

STEP 3

1 at	2 behind	3 next to
4 under	5 on	6 over

해석
1 한 소녀가 책상에서 공부하고 있다.
2 소녀 뒤에 침대가 있다.
3 침대 옆에 상자가 있다.
4 침대 아래에 고양이가 있다.
5 시계가 벽에 걸려 있다.
6 침대 위에 책장이 있다.

해설
1 at: (특정 지점)에
2 behind: ~ 뒤에
3 next to: ~ 옆에
4 under: ~ 아래에
5 on: ~ 위에, 표면에 접촉하여
6 over: ~ 위에 (표면과 떨어진 상태)

STEP 4

1 A bird is on the roof.
2 Some people are sitting under the big tree.
3 There was a big hole in front of us.
4 I'm sitting at the table.
5 He parked his car next to the wall.
6 John threw a ball over the wall.

해설
1 on: ~ 위에, 표면에 접촉하여
2 under: ~ 아래에
3 in front of: ~ 앞에
4 at: (특정 지점)에

5 next to: ~ 옆에
6 over: ~ 위에 (표면과 떨어진 상태)

STEP 5

1 He is at the party.
2 She is on the train.
3 A store is between the bank and the bakery.
[There is a store between the bank and the bakery.]
4 The books are in my backpack.
5 Who's[Who is] the boy behind the piano?
6 The picture on the wall is beautiful.

해설

1 at: 하나의 지점, 특정한 목적이 있는 곳
2 on: 비행기[버스, 기차, 배 …]를 탄
3 between A and B: A와 B 사이에
4 in: 특정 장소의 안쪽
5 behind: ~ 뒤에
6 on: ~ 위에, 표면에 접촉하여

Unit 2 방향을 나타내는 전치사 p.093

Check-up 1

1 a. 그녀는 산 위로 올라갔다.
b. 그녀는 산 아래로 내려갔다.
2 a. 나는 길을 따라서 걷고 있었다.
b. 나는 길을 건너서 걷고 있었다.
3 a. 우리는 차를 타고 숲 주변을 돌았다.
b. 우리는 운전해서 숲속을 통과했다.

해설

1 up: ~ 위로, down: ~ 아래로
2 along: ~을 따라, across: ~을 가로질러
3 around: ~ 주위로, through: ~을 통하여

Check-up 2

1 in 2 at 3 to 4 to

해석

1 그는 서울에 도착했다.
2 그녀는 회의에 도착했다.
3 그는 일본에서 한국으로 이동했다.
4 그들은 콘서트장에 도착했다.

해설

1 arrive in+나라 · 도시명
2 arrive at+특정 지점
3 from A to B: A에서 B까지
4 get to+모든 장소

STEP 1

1 up 2 down 3 into
4 out of 5 from 6 to

해설

1 up: ~ 위로
2 down: ~ 아래로
3 into: ~ 안으로
4 out of: ~ 밖으로
5 from: ~로부터
6 to: ~까지

STEP 2

1 She dressed in white from head to toe.
2 He walked through the doorway.
3 I put the chairs along the wall.
4 The restaurant is across from the school.

해설

1 from A to B: A에서 B까지
2 through: ~ 을 통해서
3 along: ~을 따라
4 across from: ~의 건너편에

STEP 3

1 She walked down the steps.
2 I wrapped the blanket around the baby.
3 She arrived in America on May 5th.
4 The diver jumped out of the boat.

해설

1 down: ~ 아래로
2 around: ~를 둘러싼
3 arrive in+도시 · 나라명: ~에 도착하다
4 out of: ~ 밖으로

Unit 3 시간을 나타내는 전치사 p.095

Check-up 1

1 at	2 at	3 on	4 in
5 at	6 in	7 in	8 on
9 for	10 during		

해석

1 밤에
2 1시에
3 부활절에
4 2002년에
5 점심시간에
6 봄에
7 21세기에
8 금요일 저녁에
9 여러 해 동안
10 휴식시간 동안

해설

1, 5 at: night[midnight, noon …] 앞
2 at: 구체적 시각, 특정 시점 앞
3 on: 요일, 날짜, 특정한 날 앞
4, 6~7 in: 세기, 년, 월, 계절, 하루의 때
8 on+요일 이름+morning[afternoon …]
9 for: 숫자 표현과 함께 쓰인 기간 앞
10 during: 특정 기간을 나타내는 명사 앞

Check-up 2

1 before	2 after
3 around	4 from

해설

1 before: ~ 전에
2 after: ~ 후에
3 around: ~ 무렵
4 from: ~부터

STEP 1

1 at	2 at	3 at	4 at	5 on
6 on	7 on	8 in	9 in	10 in

해석

1 3시에 만나자.
2 점심 시간에 어디 있었니?
3 나의 아이들은 정오에 점심을 먹었다.
4 크리스마스 시즌에 만나자.
5 축제는 금요일에 시작한다.
6 콘서트는 3월 1일에 있다.
7 너는 금요일 아침에 시험이 있다.
8 수업은 5월에 시작한다.
9 나는 아침에 샤워를 했다.
10 겨울에 눈이 온다.

해설

1~3 at: 구체적인 시각, 특정 시점
4 at Christmas: 크리스마스 시즌에
5~7 on: 특정 날짜 앞, on+요일 이름+morning[afternoon …]
8~10 in: 세기, 년, 월, 계절, 하루의 때

STEP 2

1 for	2 during	3 during
4 by	5 until	6 by

해석

1 그들은 30분 동안 낮잠을 잤다.
2 시험 중에 말하지 마라.
3 방학 중에 무엇을 했니?
4 나는 내일까지 그 일을 끝낼 수 있다.
5 그녀는 2016년까지 일본에서 살았다.
6 그 책을 토요일까지 반납해 주세요.

해설

1~3 for: ~ 동안 (숫자 표현과 함께 쓰인 기간 앞)
during: ~ 동안 (특정 기간 명사 앞)
4~6 until: ~까지 (계속된 동작이 끝나는 시점 앞)
by: ~까지 (일회성 동작이 끝나는 시점 앞)

STEP 3

1 before noon	2 after school
3 around two o'clock	4 from Monday

해설

1 before: ~ 전에
2 after: ~ 후에
3 around: ~ 무렵 (대략적 시점)
4 from: ~부터 (시작 시점)

STEP 4

1 She was born in 2010.
2 We will deliver your book by Friday.
3 He watched TV for two hours.
4 We took a walk after dinner.
5 What did you do on January 1st?
6 Let's eat some snacks before the movie.

해설

1 in: ~에 (연도 앞)
2 by: ~ 까지 (일회성 동작이 끝나는 시점 앞)
3 for: ~ 동안 (숫자 표현과 함께 쓰인 기간 앞)
4 after: ~ 후에
5 on: ~에 (특정 날짜 앞)
6 before: ~ 전에

STEP 5

1 She often goes swimming in summer.
2 I always eat lunch at noon.
3 He works out for 30 minutes every day.
4 Do not[Don't] use your phone during class.
5 Let's meet at the bus stop around four.
6 The tickets are on sale until next week.

해설

1 in: 계절 앞
2 at: night[midnight, noon …] 앞
3 for: 숫자 표현과 함께 쓰인 기간 앞
4 during: 특정 기간 명사 앞
5 around: 대략적 시점
6 until: 계속된 동작이 끝나는 시점 앞

Unit 4 기타 주요 전치사 p.098

Check-up 1

1 about 2 like 3 by
4 on 5 with 6 without

해설

1 about: ~에 대하여
2 like: ~와 같은, ~처럼
3 by+교통수단: ~를 타고
4 on foot: 걸어서
5 with: ~를 가지고, ~와 함께
6 without: ~ 없이

Check-up 2

1 about 2 like 3 by
4 in 5 with 6 without

해설

1 about: ~에 대하여
2 like: ~처럼
3 by+교통수단 → 한정사 없이 쓰임
4 in+교통수단(택시, 자가용 …) → 한정사와 함께 쓰임
5 with: ~와 함께
6 without: ~없이

STEP 1

1 about movies 2 like Batman
3 like her father 4 like crabs
5 about the country

해설

1, 5 about: ~관하여
2~4 like: ~처럼, ~와 같은

STEP 2

1 with red hair
2 without cars
3 like an angel
4 by bicycle[on a bicycle]
5 on a ship
6 in a car

해설

1 with: ~를 가지고 있는
2 without: ~ 없는
3 like: ~처럼, ~와 같은
4~6 by+교통수단 → 한정사 없이 쓰임
on+교통수단 (버스, 자전거 …) → 한정사와 함께 쓰임
in+교통수단 (택시, 자가용 …) → 한정사와 함께 쓰임

STEP 3

1 I went to China by airplane.
2 He ate noodles with chopsticks.
3 I read a book about sea animals.
4 She lives with her grandparents.
5 My aunt goes to work on foot.
6 Don't leave home without your wallet.

해설
1 by+교통수단 → 한정사 없이 쓰임
2 with: ~를 가지고
3 about: ~에 관하여
4 with: ~와 함께
5 on foot: 걸어서
6 without: ~ 없이

STEP 4

1 You are not[aren't] like your sister.
2 I often go on a trip with my family.
3 We can do lots of things with computers.
4 He usually eats dinner without kimchi.
5 The kid is curious about animals.
6 She goes to her grandparents' house by train.

해설
1 like: ~와 같은
2 with: ~와 함께
3 with: ~을 가지고
4 without: ~ 없이
5 about: ~에 대하여
6 by+교통수단 → 한정사 없이 쓰임

도전! 만점! 중등 내신 단답형&서술형 p.101

1 in
2 at
3 on
4 around
5 over, under
6 during → for
7 for → during
8 by → until
9 until → by
10 they → them
11 He goes to school by bus.
[He goes to school on the bus.]
12 My father likes coffee without sugar.
13 There's a shoe store between the bakery and the bank.
14 He put the book into the backpack.
15 The key fell out of my pocket.
16 He walked through the forest.
17 The boy swam across the lake.
18 There are four people in front of a house.
19 A dog is next to the little boy.
[There is a dog next to the little boy.]
20 A tall boy is behind the dog.
[There is a tall boy behind the dog.]

해석 & 해설

1
• Mike는 작은 마을에 살고 있다.
• 그들은 2015년에 결혼했다.
• 나는 서울에 도착했다.
in: 년도 앞, 특정 장소의 안쪽, 도시 앞

2
• 그녀는 공항에 도착했다.
• 우리는 크리스마스 시즌에 쇼핑하러 간다.
• 그는 정오에 점심을 먹었다.
arrive at+특정 지점 (arrive in+나라 · 도시명)
at Christmas: 크리스마스 시즌에
at noon: 정오에

3
• 시계는 벽에 걸려 있다.
• Dan은 비행기를 타고 있다.
• 나는 금요일 저녁에 Mike로부터 전화를 받았다.
on: 표면 위에 접촉하여, 비행기[버스, 기차 등]를 탑승한
on+요일 이름+morning[afternoon …]

4
• 그는 세계 일주를 하기를 원한다.
• 그녀는 목에 스카프를 두르고 있다.
• 저는 3시경에 당신에게 전화하겠습니다.
around: ~ 주위로, ~ 무렵(대략적인 시점)

5
• 다리 위로 무지개가 있다.
• 다리 아래로 보트가 지나가고 있다.
over: (표면과 떨어져서) ~ 위에
under: (표면과 떨어져서) ~ 아래에

6
그들은 3개월간 부산에 머물렀다.
for: 숫자 표현과 함께 쓰인 기간 앞

7

관객은 갑자기 연극 도중에 떠났다.

during: 특정 기간을 나타내는 명사 앞

8

나는 다음 달까지 여기 있을 것이다.

until: 계속된 동작이 끝나는 시점

9

우리는 숙제를 내일까지 끝내야 한다.

by: 일회성 동작이 끝나는 시점

10

Tom은 나와 함께 저녁을 먹었다.

전치사 뒤에는 목적격을 쓴다.

11

by+교통수단 → 한정사 없이 쓰임

on: 표면 위에 접촉하여, 비행기[버스, 기차 등]를 탑승한

12

without: ~ 없이, ~ 없는

13

between A and B: A와 B 사이에

14

into: ~ 안으로

15

out of: ~ 밖으로

16

through: ~을 통과하여

17

across: ~을 가로질러

18

in front of: ~ 앞에

19

next to: ~ 옆에

20

behind: ~ 뒤에

Chapter 12 접속사

Unit 1 등위접속사 and, or, but

p.104

Check-up 1

1 a hamburger, some cola
2 by bus, by subway, on foot
3 young, wise
4 Visit the website, you'll get a coupon
5 I failed the test, I'll try it again

해석

보기 당신은 미국인입니까, 영국인입니까?

1 나는 햄버거와 콜라를 원한다.
2 당신은 그곳에 버스, 지하철을 타거나 또는 걸어서 갈 수 있다.
3 그녀는 어리지만 지혜롭다.
4 여러분은 웹 사이트에 방문하면 쿠폰을 얻을 수 있습니다.
5 나는 시험에 불합격했지만, 다시 시도할 것이다.

해설

1, 4 and: 그리고
2 or: 또는
3, 5 but: 그러나

Check-up 2

1 and　2 and　3 or
4 or　5 but

해설

1~2 and: 그리고
3~4 or: 또는
5 but: 그러나

STEP 1

1 Peter, and, I
2 a, cat, or, a, dog
3 English, Korean, and, Japanese
4 very, nice, but, too, expensive

해설

1 and: 그리고
2 or: 또는
3 셋 이상을 나열할 때는 쉼표(,)로 연결하고 마지막 것 앞에만 접속사를 씀
4 but: 그러나

STEP 2

1 and 2 or
3 and 4 but

해석
1 Brian과 나는 같은 학교에 다녔다.
2 우리는 오늘이나 내일 떠나야 한다.
3 그는 Jane을 만나서 그녀와 함께 영화를 봤다.
4 나는 쇼핑몰에 갔지만, 아무것도 사지 않았다.

해설
1 두 명 다 같은 학교에 다녔으므로 and가 적절
2 둘 중에서 하나를 선택해야 하므로 or가 적절
3 Jane을 만나고 영화를 봤으므로 and가 적절
4 쇼핑몰에는 갔지만 산 것이 아무것도 없으므로 but이 적절

STEP 3

1 a, sister, two, brothers
2 on, the, table, in, the, bag
3 looks, good, tastes, too, salty
4 had, dinner, saw, a, movie

해석
1 그는 누나 한 명과 두 명의 형이 있다.
2 그 책은 테이블 위나 가방 안에 있을 지도 모른다.
3 그 수프는 맛있어 보이지만, 너무 짠맛이 난다.
4 우리는 저녁을 먹고 영화를 봤다.

해설
1~4 등위접속사로 연결된 것은 문법적으로 대등한 자격을 가짐

STEP 4

1 She is tall, cute, and smart.
2 Do you want chocolate or cookies?
3 You can pay by credit card or in cash.
4 They played games and had dinner.
5 He looks weak, but he is very strong.
6 I met a friend of mine and went to a bookstore with him.

해설
1 셋 이상을 나열할 때는 쉼표(,)로 연결하고 마지막 것 앞에만 접속사를 씀
2~3 둘 중에서 하나를 선택해야 하므로 or가 적절
4 게임을 하고 저녁을 먹으므로 and
5 앞에 있는 절과 뒤에 있는 절의 내용이 반대이므로 but
6 친구를 만나고 서점에 갔으므로 and

STEP 5

1 You can go out or stay at home.
2 Do you like soccer or baseball?
3 Mike, Peter, and Susie are eating lunch here.
4 She likes singing but doesn't like dancing.
5 Sam is watching TV, and Dana is sleeping.

해설
1~2 둘 중에서 하나를 선택해야 하므로 or가 적절
3 셋 이상을 나열할 때는 쉼표(,)로 연결하고 마지막 것 앞에만 접속사를 씀
4 앞에 있는 절과 뒤에 있는 절의 내용이 반대이므로 but
5 Sam은 TV를 보고 Dana는 잠을 자고 있으므로 and

Unit 2 명령문, and[or] ~ p.107

Check-up 1

1 and 2 and 3 or 4 or

해설
1~2 명령문, and ~: ~해라, 그러면 ~할 것이다
3~4 명령문, or ~: ~해라, 그렇지 않으면, ~할 것이다

Check-up 2

1 If 2 If 3 Unless

해석
1 낮잠을 자면 몸이 나아질 것이다.
2 최선을 다하지 않으면 후회할 것이다.
3 휴식을 잘 취하지 않으면 피곤할 것이다.

해설
1 명령문, and ~
= If you+동사 ~, ~: ~해라, 그러면 ~할 것이다
2~3 명령문, or ~
= if you don't+동사원형 ~, ~
= Unless you+동사 ~, ~: ~해라, 그렇지 않으면 ~할 것이다

STEP 1

1 and 2 and 3 or 4 or

해석
1 이 케이크를 먹어봐라, 그러면 마음에 들 것이다.
2 그에게 전화해라, 그러면 그가 너에게 놀라운 소식을 말해줄 것이다.
3 충분히 큰 소리로 말해라, 그렇지 않으면 당신의 말을 내가 들을 수 없다.
4 너무 많이 먹지 마라, 그렇지 않으면 나중에 졸릴 것이다.

해설

1~2 명령문, and ~: ~해라, 그러면 ~할 것이다

3 명령문, or ~: ~해라, 그렇지 않으면 ~할 것이다

4 부정명령문, or ~: ~하지 마라, 그렇지 않으면 ~할 것이다

STEP 2

1 you eat an apple a day

2 you drink too much coffee

3 you don't apologize to me first
you apologize to me first

4 you don't speak loudly
you speak loudly

해석

1 하루에 사과를 하나씩 먹으면 건강해질 것이다.

2 커피를 너무 많이 마시면 밤에 충분히 잠을 못 잔다.

3 우선 나에게 사과하지 않으면 너를 용서하지 않을 것이다.

4 크게 말하지 않으면 그들은 네 목소리를 들을 수 없다.

해설

1 명령문, and ~ = If you+동사 ~, ~: ~해라, 그러면 ~할 것이다

2 부정명령문, or ~: ~하지 마라, 그렇지 않으면 ~할 것이다

3~4 if you don't+동사원형 ~, ~
= Unless you+동사 ~, ~: ~하지 않으면 ~할 것이다

STEP 3

1 Eat more vegetables, and your health will improve.

2 Don't stay up too late, or you will be tired tomorrow.

3 If you check for viruses every day, your PC will be safe.

4 If you don't drink milk, your bones will become weak. [Unless you drink milk, your bones will become weak.]

해석

1 채소를 더 많이 먹어라, 그러면 당신의 건강이 개선될 것이다.

2 너무 늦게까지 깨어 있지 마라, 그렇지 않으면 다음 날 피곤할 것이다.

3 매일 바이러스 체크를 하면 당신의 PC는 안전할 것이다.

4 우유를 마시지 않으면 당신의 뼈는 약해질 것이다.

해설

1 명령문, and ~: ~해라, 그러면 ~할 것이다

2 부정명령문, or ~: ~하지 마라, 그렇지 않으면 ~할 것이다

3 if you+동사 ~, ~: ~하면, ~할 것이다

4 if you don't+동사원형 ~, ~
= unless you+동사 ~, ~: ~하지 않으면 ~할 것이다

STEP 4

1 Turn right, and you'll see the subway station.

2 Read many books, or your vocabulary will not improve.

3 If you rub your eyes with dirty hands, you'll get eye diseases.

4 If you don't eat healthy food, you'll catch a cold easily.

5 Unless you help him, he'll get in trouble.

해설

1 명령문, and ~: ~해라, 그러면 ~할 것이다

2 명령문, or ~: ~해라, 그렇지 않으면 ~할 것이다

3 if you+동사 ~, ~: ~하면, ~할 것이다

4 if you don't+동사원형 ~, ~: ~하지 않으면 ~할 것이다

5 unless you+동사 ~, ~ : ~하지 않으면 ~할 것이다

STEP 5

1 Do not[Don't] read in the dark, or you will[you'll] get eye problems.

2 If you visit the website, you will[you'll] find useful information.

3 Unless you see a doctor now, your flu will become worse.

4 Save water, or you will[you'll] have to pay more.

5 If you do not[don't] follow the rules, they will[they'll] call your mother.

해설

1 부정명령문, or ~: ~하지 마라, 그렇지 않으면 ~할 것이다

2 if you+동사 ~, ~: ~하면, ~할 것이다

3 unless you+동사 ~, ~ : ~하지 않으면 ~할 것이다

4 명령문, or ~: ~해라, 그렇지 않으면 ~할 것이다

5 if you don't+동사원형 ~, ~: ~하지 않으면 ~할 것이다

Unit 3 종속접속사 when, after, before p.110

Check-up

1 When 2 When 3 After
4 After 5 before 6 before
7 before

해설

1~2 when: ~할 때

3~4 after: ~한 후에
5~7 before: ~ 전에

STEP 1

1	when	2	before
3	after	4	Before

해설

1 when: ~할 때
2, 4 before: ~ 전에
3 after: ~한 후에

STEP 2

1 after they finish school
2 when she goes to the market
3 before she goes abroad
4 Before the train left
5 after I took a shower
6 when he returned from the trip

해설

1, 5 after: ~ 후에
2~3 시간부사절은 미래의 의미라 하더라도, 현재시제를 씀
4 before: ~ 전에
6 when: ~할 때

STEP 3

1 When I exercise, I listen to music.
[I listen to music when I exercise.]
2 I saw kangaroos when I went to Australia.
[When I went to Australia, I saw kangaroos.]
3 Before he lived in Korea, he learned Korean.
[He learned Korean before he lived in Korea.]
4 She washes her hair before she goes to bed.
[Before she goes to bed, she washes her hair.]
5 He became a teacher after he graduated.
[After he graduated, he became a teacher.]
6 After he got married, he moved to New York.
[He moved to New York after he got married.]

해설

1~2 when: ~할 때
3~4 before: ~ 전에
5~6 after: ~ 후에

STEP 4

1 When she was in Japan, she saw Mount Fuji.
[She saw Mount Fuji when she was in Japan.]
2 I improved my English when I was in America.
[When I was in America, I improved my English.]
3 After he finished his homework, he had dinner.
[He had dinner after he finished his homework.]
4 You should stretch before you exercise. [Before you exercise, you should stretch.]
5 They bought popcorn and cola before the movie started. [Before the movie started, they bought popcorn and cola.]

해설

1~2 when: ~할 때
3 after: ~ 후에
4~5 before: ~ 전에

Unit 4 종속접속사 if, because, so

p.113

Check-up 1

1	If	2	if	3	Unless
4	unless	5	snows	6	rains

해석

1 우리가 협력하면, 일찍 일을 끝낼 수 있다.
2 질문이 있으면 손을 들어 주세요.
3 그가 제시간에 도착하지 않으면, 그는 버스를 놓칠 것이다.
4 그 소녀는 이야기를 읽어주지 않으면 잠자리에 들지 않을 것이다.
5 내일 눈이 오면 나는 지하철을 탈 것이다.
6 비가 내리지 않으면 그들은 경기를 취소하지 않을 것이다.

해설

1~2 if: ~한다면
3~4 unless(= if ~ not ~): ~하지 않으면
5~6 조건절이 미래를 의미할 때 현재시제를 씀

Check-up 2

1	because	2	Because
3	so	4	so

해설

1~2 because+원인/이유
3~4 so+결과

STEP 1

1 so, because
2 so, Because
3 because, so
4 so, Because

해석

1 그는 목이 말라서 물을 한 잔 마셨다.
2 너무 추워서 그녀는 따뜻한 옷을 입었다.
3 그녀가 도움이 필요해서 나는 그녀를 도와주었다.
4 그는 감기에 걸려서 병원에 갔다.

해설

1~4 because+원인/이유, so+결과

STEP 2

1 so he went to the movies
2 so I can't see things clearly
3 because she was sick
4 Because it was very hot

해석

1 그는 심심해서 영화를 보러 갔다.
2 나는 안경을 쓰고 있지 않아서 잘 보이지 않는다.
3 그녀는 아파서 학교에 결석했다.
4 날이 더워서 나는 창문을 열었다.

해설

1 so+결과 (영화를 보러 간 것)
2 so+결과 (잘 보이지 않는 것)
3 because+원인/이유 (아픈 것)
4 because+원인/이유 (날이 추운 것)

STEP 3

1 if I need your help
2 If you don't have an umbrella
3 Unless you are hungry now
4 unless you want to fail

해설

1 if: 만일 ~라면
2 if ~ not: 만일 ~아니라면
3~4 unless: 만일 ~아니라면

STEP 4

1 He didn't have enough money, so he couldn't buy the jacket.
2 Tom loves music, so he wants to be a musician.
3 I couldn't call him because I didn't know his phone number. [Because I didn't know his phone number, I couldn't call him.]
4 They are studying because they have an important exam tomorrow. [Because they have an important exam tomorrow, they are studying.]
5 If you do your best, you will get a good result. [You will get a good result if you do your best.]
6 If I am too busy, I will cancel my appointment. [I will cancel my appointment if I am too busy.]

해석

1 그는 충분한 돈이 없어서 그 외투를 살 수 없었다.
2 Tom은 음악을 좋아해서 음악가가 되기를 원한다.
3 나는 그의 전화번호를 몰라서 그에게 전화할 수 없었다.
4 그들은 내일 중요한 시험이 있어서 공부하고 있는 중이다.
5 최선을 다하면 좋은 결과를 얻을 것이다.
6 내가 너무 바쁘면 약속을 취소할 것이다.

해설

1 so+결과 (외투를 살 수 없는 것)
2 so+결과 (음악가가 되고 싶은 것)
3 because+원인/이유 (전화번호를 모르는 것)
4 because+원인/이유 (내일 중요한 시험이 있는 것)
5 if+조건 (최선을 다하는 것)
6 if+조건 (너무 바쁜 것)

STEP 5

1 He does many good things, so a lot of people respect him.
2 She missed the bus, so she had to take a taxi.
3 You can visit me if you need advice. [If you need advice, you can visit me.]
4 If it's fine tomorrow, we will go to the beach. [We will go to the beach if it's fine tomorrow.]
5 Because it was sunny, we had a picnic. [We had a picnic because it was sunny.]
6 I went to the cafeteria because I was hungry. [Because I was hungry, I went to the cafeteria.]

해설

1~2 so+결과

3~4 조건절은 미래를 의미하더라도 현재시제를 씀

5~6 because+원인/이유

Unit 5 종속접속사 that p.116

Check-up 1

1 Tim이 훌륭한 가수라는 것을
2 그가 그림을 잘 그린다고
3 그녀가 변호사라는 것을
4 모든 일이 잘되기를
5 우리가 그 영화를 봐도 된다고
6 시간 여행이 가능하다고

해설

1~6 that절은 문장 안에서 명사의 역할을 할 수 있음

Check-up 2

1 People believe V Steve is rich.
2 They think V she is a good person.
3 I know V everyone needs exercise.
4 He hopes V he can go on a trip to Europe.
5 She said V she liked the movie.
6 We heard V David won the contest.

해석

1 사람들은 Steve가 부자라고 믿는다.
2 그들은 그녀가 좋은 사람이라고 생각한다.
3 나는 모두가 운동이 필요하다는 것을 생각한다.
4 그는 유럽으로 여행갈 수 있기를 바란다.
5 그녀는 그 영화가 좋았다고 말했다.
6 우리는 David가 대회에서 이겼다는 소식을 들었다.

해설

1 (that) Steve is rich → believe의 목적어
2 (that) she is a good person → think의 목적어
3 (that) everyone needs exercise → know의 목적어
4 (that) he can go on a trip to Europe → hopes의 목적어
5 (that) she liked the movie → said의 목적어
6 (that) David won the contest → heard의 목적어

STEP 1

1 that he can do the work alone
2 that you're feeling better soon
3 that Tom will be back next week
4 that her father is Canadian
5 that you can do it

해설

1 that he can do the work alone → believes의 목적어
2 that you're feeling better soon → hope의 목적어
3 that Tom will be back next week → knows의 목적어
4 that her father is Canadian → hear의 목적어
5 that you can do it → think의 목적어

STEP 2

1 I hope that everyone is well.
2 We know that she is a singer.
3 She thinks that the movie is good.
4 He believes that he can be a great pilot.
5 They say that he moved to Busan.

해설

1 that everyone is well → hope의 목적어
2 that she is a singer → know의 목적어
3 that the movie is good → thinks의 목적어
4 that he can be a great pilot → believes의 목적어
5 that he moved to Busan → say의 목적어

STEP 3

1 I think that you are right.
2 She knows that it is not easy.
3 I hope that she remembers me.
4 He said that he is from England.
5 We can't believe that this tree is 500 years old.
6 They didn't say that they did the work.

해설

1 that you are right → think의 목적어
2 that it is not easy → knows의 목적어
3 that she remembers me → hope의 목적어
4 that he is from England → said의 목적어
5 that this tree is 500 years old → believe의 목적어
6 that they did the work → say의 목적어

STEP 4

1 They know (that) he is a doctor.
2 Some people say (that) she is rich.
3 I think (that) she knows the truth.
4 He believes (that) this picture is very expensive.
5 Did you hear (that) her father is a famous actor?
6 We hope (that) things will be better soon.

해설

1 (that) he is a doctor → know의 목적어
2 (that) she is rich → say의 목적어
3 (that) she knows the truth → think의 목적어
4 (that) this picture is very expensive → believes의 목적어
5 (that) her father is a famous actor → hear의 목적어
6 (that) things will be better soon → hope의 목적어

단답형&서술형 p.119

1 that
2 or
3 and
4 but
5 If[When]
6 will hear → hear
7 will get → get
8 don't want → want 또는 Unless → If
9 after
10 because
11 It was 11 o'clock when he called me.
12 Wash your hands after you use the bathroom. [After you use the bathroom, wash your hands.]
13 I know that he is a famous chef.
14 After she finished her homework, she went to the movies. [She went to the movies after she finished her homework.]
15 Before he goes to school, he has breakfast. [He has breakfast before he goes to school.]
16 If you help me with this homework, I'll buy you lunch. [I'll buy you lunch if you help me with this homework.]
17 I was hungry, so I ordered a hamburger.
18 The bank is not open because it's Sunday. [Because it's Sunday, the bank is not open.]
19 Unless you do your homework, you will[you'll] be in trouble. / If you don't do your homework, you will[you'll] be in trouble. / Do your homework, or you will[you'll] be in trouble.
20 Because I woke up late, I was late for school. [I was late for school because I woke up late.] / I woke up late, so I was late for school.

해석 & 해설

1
• 나는 그녀가 겨우 10살이라는 것을 믿을 수 없다.
• 그는 자신이 일본에서 왔다고 말한다.
that절은 동사의 목적어가 될 수 있음

2
• 고기와 생선 중 어떤 것을 더 좋아하니?
• 우산을 가지고 가라, 그렇지 않으면 젖을 것이다.
Which do you like better, A or B: A와 B 중 어떤 것이 더 좋니?
명령문, or ~: ~해라, 그렇지 않으면 ~할 것이다

3
• 나는 햄버거와 프렌치프라이를 주문했다.
• 위층으로 올라가면 그를 만날 것이다.
A and B: A와 B
명령문, and ~: ~해라, 그러면 ~할 것이다

4
but: 서로 반대되는 내용을 연결할 때

5
if: ~라면, when: ~할 때

6
당신은 그 소식을 들으면 놀랄 것입니다.
조건 부사절은 미래의 의미라 하더라도, 현재시제를 씀

7
내가 그곳에 도착할 때 너에게 엽서를 보낼게.
시간 부사절은 미래의 의미라 하더라도, 현재시제를 씀

8
나가고 싶지 않으면 여기 있어도 좋다.
unless = if ~ not ~

9
우리는 피자를 먹고 나서 디저트를 먹었다.
after: ~한 후에

10
나는 몸이 안 좋아서 학교에서 조퇴했다.
because+원인/이유 (몸이 안 좋음)

11
when: ~할 때

12
after: ~한 후에

13
that he is a famous chef → know의 목적어

14
그녀는 숙제를 끝내고 나서 영화를 보러 갔다.
after+먼저 일어난 사건 (숙제를 끝낸 것)

15
그는 아침을 먹고 학교에 갔다.
before+나중에 일어난 사건 (학교에 간 것)

16
내가 이 숙제를 하는 것을 도와주면, 내가 너에게 점심을 살게.
if+조건 (숙제를 도와주는 것)

17
나는 배가 고파서 햄버거를 주문했다.
so+결과 (햄버거를 주문한 것)

18
오늘은 일요일이라서 은행이 문을 안 열었다.
because+원인/이유 (오늘이 일요일이라는 것)

19
unless you+동사 ~, ~ = if you don't+동사원형 ~, ~
= 명령문, or ~: ~하지 않으면 ~할 것이다

20
because+원인/이유 (늦게 일어난 것)
so+결과 (지각한 것)

Chapter 7 형용사와 부사

p. 122~127

Unit 1 형용사

1 I have a good idea.
2 We need somebody diligent.
3 There is nothing new in this magazine.
4 Would you like something cold?
5 The whales in the picture are big.
6 The boy is tall and thin.
7 You look great.
8 He keeps his desk clean.
9 I found the game boring.
10 The news made me upset.

Unit 2 부정수량 형용사

1 There're many books on the shelf.
2 He has a lot of friends.
3 There're few people in the building.
4 I don't have much work today.
5 We had a little snow yesterday.
6 There's little water in the bottle.
7 I bought a lot of vegetables.
8 Would you like some candy?
9 Do you have any brothers?
10 They didn't make any mistakes.

Unit 3 감정형용사

1 This village has an interesting history.
2 Rainy weather is depressing.
3 The smell of the bread is pleasing.
4 Their service was disappointing.
5 The work is exhausting.
6 He was very excited about the camping.
7 Don't be frightened.
8 He is interested in music.
9 She was pleased with her grades.
10 She was touched by the story.

Unit 4 부사

1 He can run fast.
2 The movie ended happily.
3 The exam was really easy.
4 The room is pretty big.
5 He speaks English very fluently.
6 Suddenly, someone[somebody] shouted.
7 The bus arrived too late.
8 She won the game easily.
9 He answered seriously.
10 My parents exercise regularly.

Unit 5 빈도부사

1 I always wear a black jacket.
2 We usually finish work at 5.
3 Jenny sometimes calls her grandmother.
4 She's always helpful.
5 She sometimes has a hamburger.
6 He never wears neckties.
7 Kevin is always on time.
8 They can often go to the movies.
9 I can never remember his name.
10 I'll never forget your kindness.

Unit 6 주의해야 할 형용사와 부사

1 I work hard.
2 He is a fast runner.
3 My grandmother is well.
4 I took an early train.
5 We arrived in Seoul late.
6 A plane is flying high.
7 The machine works very well.
8 My math teacher is pretty nice.
9 I like math, and John likes it, too.
10 She doesn't like milk, and her sister doesn't, either.

Chapter 8 비교

p. 128~132

Unit 1 비교급과 최상급의 형태 – 규칙 변화

1 Tom is the youngest.
2 That bag is the lightest.
3 This car is safer.
4 He got thinner.
5 I need a bigger room.
6 The shoes got dirtier.
7 This dress is prettier.
8 Which question is the most difficult?
9 You must exercise more often.
10 Please speak more slowly. [Speak more slowly, please.]

Unit 2 비교급과 최상급의 형태 – 불규칙 변화형

1 He got the best grades.
2 She is a little better today.
3 They had the worst idea.
4 I feel worse today.
5 Our team got the most points.
6 Please tell me more.
7 I spend the least (money) on food.
8 She is eating less these days.
9 He is spending more time with his children.
10 The weather is getting better.

Unit 3 원급을 이용한 비교 표현

1 I'm as heavy as Tom.
2 His voice is as loud as mine.
3 Sarah is as tall as me.
4 Tommy studies as hard as Lucy.
5 Simon eats as much as Jake.
6 Money isn't so important as health.
7 That blue truck isn't so big as this red truck.
8 I can't swim so fast as you (can).
9 Mary isn't so smart as Jane.
10 Paul can't speak Chinese so fluently as Willy.

Unit 4 비교급을 이용한 비교 표현

1 Today is warmer than yesterday.
2 This bag is heavier than mine.
3 She is younger than I am.
4 Jack gets up much earlier than I do.
5 His car can run faster than mine.
6 The red shoes are more expensive than the black shoes[ones].
7 My father is far stronger than my brother.
8 This singer is even more famous than that actor.
9 I walk far more slowly than Paul.
10 We can speak English much better than they can.

Unit 5 최상급을 이용한 비교 표현

1 Sam is the tallest of all the boys.
2 The red house is the biggest of the three.

3 The cheetah is the fastest of all land animals.
4 Tony is the funniest of all my friends.
5 The black cat is the fattest of the six.
6 My desk is the newest in this classroom.
7 Mt. Everest is the highest in the world.
8 Angela is the smallest girl in the room.
9 That is the most popular dish in our restaurant.
10 This hotel is the cheapest in the city.

Chapter 9 문장의 구조 p. 133~139

Unit 1 문장의 기본 구성요소

1 It rained heavily.
2 The computer doesn't work.
3 The singer is popular.
4 He'll be 10 (years old) next year.
5 The pasta tastes delicious.
6 Her name is Lucy.
7 The girl wants a Christmas gift.
8 The giraffe drank water.
9 A friend called me last night.
10 His father made him a lawyer.

Unit 2 주어 + 동사(1형식)

1 Tom dances well.
2 He is behind you.
3 He eats a lot.
4 Michael lives in Washington.
5 Her parents exercise every day.
6 His dog barks loudly.
7 There is an orange on the plate.
8 Are there many people on the stage?
9 There are some books on the shelf.
10 There is a melon in the fridge.

Unit 3 주어 + 동사 + 보어(2형식)

1 It was windy yesterday.
2 He became a firefighter.
3 She became popular.
4 Leaves turn red and yellow in fall.
5 She looks pretty in that blouse.
6 She looks like her mother.
7 The milk smells bad.
8 The soap smells like flowers.
9 The story sounds very familiar.
10 She seems happy.

Unit 4 주어 + 동사 + 목적어(3형식)

1 She has a house.
2 He caught a large fish today.
3 The store sells shoes and bags.
4 Everyone likes Susie.
5 They answered the phone yesterday.
6 The boys play baseball after school.
7 He'll plant some trees in the garden.
8 My mother likes classical music.
9 She doesn't drink coffee.
10 I didn't see her at school last Monday.

Unit 5 주어 + 동사 + 간접목적어 + 직접목적어(4형식)

1 Tom sent his parents a postcard.
2 His grandfather gave him some money.
3 I lent Peter a novel.
4 I asked her the price.
5 The waiter brought him a glass of water.
6 Tom reads his kids a story every day.
7 She made her daughter cookies.
8 My uncle bought me a bicycle.
9 Ms. Park teaches her students music.
10 My grandmother made me mittens.

Unit 6 문장의 전환: 4형식 → 3형식

1 Bill lent some money to me.
2 She gave some candies to Mark.
3 The waiter brought our bill to us.
4 Kevin sent a present to me yesterday.
5 My father got tickets to a musical for us.
6 I bought a nice hat for my father.
7 He made a toy car for his son.
8 My brother is building a nest for the birds.
9 He found my glasses for me.
10 A young man asked a question of the speaker.

Unit 7 주어 + 동사 + 목적어 + 목적격보어(5형식)

1 They called me a hero.
2 The movie made him famous.
3 They found the work difficult.
4 This life jacket kept me safe.
5 They elected her the class leader.
6 They named their baby Ben.
7 My father made me a musician.
8 This coffee will keep you awake.
9 He named his dog Fuzzy.
10 The food made me sick.

Chapter 10 to부정사와 동명사

p. 140~144

Unit 1 to부정사의 명사적 쓰임

1 To ride a horse is exciting.
2 It's fun to play soccer.
3 I hope to see you there.
4 We don't want to move to Seoul.
5 I didn't expect to see him at the party.
6 I want my father to be happy.
7 He wants me to play the piano.
8 His job is to write reports.
9 Her dream is to be a writer.
10 My homework is to write an essay.

Unit 2 to부정사의 부사적, 형용사적 쓰임

1 I went to the market (in order) to buy some oranges.
2 Mom turned on the TV (in order) to watch a comedy show.
3 He goes to the gym every day (in order) to stay healthy.
4 We are happy to win the prize.
5 She was surprised to hear the story.
6 I need time to rest.
7 She has two people to invite.
8 It's time to go to bed.
9 I have something to say.
10 I want something cold to drink.

Unit 3 동명사

1 Skiing is fun.
2 Studying hard is important.
3 Her favorite activity is listening to music.
4 My uncle's hobby is hiking.
5 The boy loves making plastic models.
6 He won't give up exercising.
7 Do you mind opening the window?
8 It began raining again.
9 James is good at making things.
10 I'm interested in playing sports.

Unit 4 to부정사와 동명사

1 I promised to help them.
2 My sister decided to go to college.
3 I would like to talk to him.
4 What do you want to be in the future?
5 They kept walking.
6 He enjoys playing table tennis.
7 Do you mind turning off the TV?
8 The girl likes watching animations.
9 It started snowing[to snow].
10 Jim stopped to rest.

Unit 5 to부정사와 동명사의 관용표현

1 The water is clean enough to drink.
2 My little sister is too young to read.
3 They have enough members to make a soccer team.
4 She was so busy that she couldn't call him.
5 They went skiing.
6 He is busy fixing a car.
7 She feels like watching a movie.
8 Thank you for inviting me.
9 I look forward to seeing you.
10 How about putting this table over there?

Chapter 11 전치사 p. 145~148

Unit 1 장소를 나타내는 전치사

1. A worm is under the pot.
2. They built a bridge over the pond.
3. There's a cat behind a car.
4. He parked his car by[next to] the wall.
5. The tower is between the two rivers.
6. The books are in my backpack.
7. He is at the party.
8. She is on the train.
9. She is standing in front of the man.
10. A boy is sitting between his mom and dad.

Unit 2 방향을 나타내는 전치사

1. He arrived in Seoul.
2. He is going down the stairs.
3. She went into the room.
4. The diver jumped out of the boat.
5. She dressed in white from head to toe.
6. He went along the road.
7. The drug store is across from the bank.
8. We drove around the forest.
9. The train goes through a tunnel.
10. She arrived in America on May 5th.

Unit 3 시간을 나타내는 전치사

1. She was born in 2010.
2. I always eat lunch at noon.
3. What did you do on January 1st?
4. He works out for 30 minutes every day.
5. Do not [Don't] use your phone during class.
6. The tickets are on sale until next week.
7. We will deliver your book by Friday.
8. You should be back before lunch.
9. Did you play soccer after school?
10. My uncle leaves for work around 7:30.

Unit 4 기타 주요 전치사

1. Mark likes that girl with red hair.
2. He ate noodles with chopsticks.
3. He drank coffee without sugar.
4. I can't imagine life without cars.
5. I have a question about it.
6. Stop acting like a child!
7. He loves seafood like crabs.
8. She goes to school by bicycle.
9. They went to Incheon by car.
10. My aunt goes to work on foot.

Chapter 12 접속사 p. 149~153

Unit 1 등위접속사 and, or, but

1. He has blond hair and brown eyes.
2. Sam is watching TV, and Dana is sleeping.
3. He can speak English, Korean, and Japanese.
4. Do you want chocolate or cookies?
5. You can take a nap or play outside.
6. You can pay by credit card or in cash.
7. You can go there by bus, by subway, or on foot.
8. The couple is very rich but stingy.
9. I went to the mall but didn't buy anything.
10. He has two pets, but I don't have any pets.

Unit 2 명령문, and[or] ~

1. Get up early, and you can see the sunrise.
2. Visit our website, and you'll get more information.
3. Hurry up, or you'll be late.
4. Read many books, or your vocabulary will not improve.
5. Don't be late, or you'll miss the show.
6. Do not eat too much, or you'll feel sleepy later.
7. If you eat an apple a day, you'll stay healthy.
8. If you stay up too late, you'll be tired tomorrow.

9 If you don't drink milk, your bones will become weak.

10 Unless you see a doctor now, your flu will become worse.

Unit 3 종속접속사 when, after, before

1 Mom will buy some food when she goes to the market.

2 He was very tired when he returned from the trip.

3 I saw kangaroos when I went to Australia.

4 He became a teacher after he graduated.

5 He moved to New York after he got married.

6 After he finished his homework, he had dinner.

7 Before I buy clothes, I always try them on.

8 When I was young, I had many dreams.

9 After they finish school, they take piano lessons.

10 Before the movie started, they bought popcorn and cola.

Unit 4 종속접속사 if, because, so

1 I'll call you if I need your help. [If I need your help, I'll call you.]

2 You can share mine if you don't have an umbrella. [If you don't have an umbrella, you can share mine.]

3 Unless you are hungry now, you don't have to eat. [You don't have to eat unless you are hungry.]

4 Unless you want to fail, you have to practice hard. [You have to practice hard unless you want to fail.]

5 The man drank a glass of water because he was thirsty.

6 Because it was cold, she wore warm clothes. [She wore warm clothes because it was cold.]

7 Because it was sunny, we had a picnic. [We had a picnic because it was sunny.]

8 He was bored, so he went to the movies.

9 I'm not wearing my glasses, so I can't see things clearly.

10 He caught a cold, so he went to the doctor.

Unit 5 종속접속사 that

1 I think (that) he is good at painting.

2 She knows (that) Tom will be back next week.

3 I hope (that) she remembers me.

4 She said (that) she liked the movie.

5 I think (that) she knows the truth.

6 People believe (that) Steve is rich.

7 We can't believe (that) this tree is 500 years old.

8 She knows (that) it is not easy.

9 I heard (that) her father is Canadian.

10 He believes (that) he can be a great pilot.

MEMO

MEMO

MEMO

도전만점 중등내신 서술형 1 2 3 4

꼼꼼한 통문장 쓰기 연습으로 서술형 문제 완벽 대비

- 영문법 핵심 포인트를 한눈에! 기본 개념 Check-up!
- Step by Step 중등내신 핵심 영문법 + 쓰기
- 도전만점 중등내신 단답형 & 서술형 문제 완벽 대비
- 스스로 훈련하는 통문장 암기 훈련 워크북 제공
- 영작문 쓰기 기초 훈련을 위한 어휘 리스트, 어휘 테스트 제공
- 객관식, 단답형, 서술형 챕터별 추가 리뷰 테스트 제공
- 동사 변화표, 문법 용어 정리, 비교급 변화표 등 기타 활용자료 제공

www.nexusbook.com

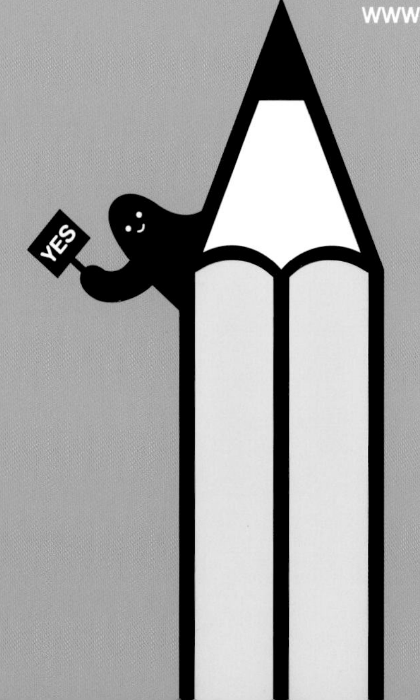

초1	초2	초3	초4	초5	초6	중1	중2	중3	고1	고2	고3

Writing

- 공감 영문법+쓰기 1~2
- 도전만점 중등내신 서술형 1~4
- 영어일기 영작패턴 1-A, B · 2-A, B
- Smart Writing 1~2

Reading

- Reading 101 1~3
- Reading 공감 1~3
- This Is Reading Starter 1~3
- This Is Reading 전면 개정판 1~4
- This Is Reading 1-1 ~ 3-2 (각 2권; 총 6권)
- 원서 술술 읽는 Smart Reading Basic 1~2
- 원서 술술 읽는 Smart Reading 1~2
- [특급 단기 특강] 구문독해 · 독해유형

Listening

- Listening 공감 1~3
- The Listening 1~4
- After School Listening 1~3
- 도전! 만점 중학 영어듣기 모의고사 1~3
- 만점 적중 수능 듣기 모의고사 20회 · 35회

TEPS

- NEW TEPS 입문편 실전 250+ 청해 · 문법 · 독해
- NEW TEPS 기본편 실전 300+ 청해 · 문법 · 독해
- NEW TEPS 실력편 실전 400+ 청해 · 문법 · 독해
- NEW TEPS 마스터편 실전 500+ 청해 · 문법 · 독해

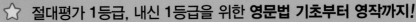